ANDREA KUTSCH
Die Pferdeflüsterin erzählt

ANDREA KUTSCH

Die Pferdeflüsterin erzählt

Geschichten

GUSTAV LÜBBE VERLAG

Der Abdruck des Gedichts »Stufen« von Hermann Hesse auf Seite 244
erfolgt mit freundlicher Genehmigung des Suhrkamp Verlags,
Frankfurt am Main. Aus: Hermann Hesse, *Sämtliche Werke,* Bd. 10:
Die Gedichte, Frankfurt am Main: Suhrkamp Verlag 2002.

Das Gedicht von William S. Cohen »Das ungesprochene Wort« auf
Seite 31 wurde übersetzt von Cornelia Panzacchi, Potsdam

Gustav Lübbe Verlag in der Verlagsgruppe Lübbe

Originalausgabe

Copyright © 2006 by Verlagsgruppe Lübbe GmbH & Co. KG,
Bergisch Gladbach
Redaktionelle Bearbeitung: Stefanie Stüting, Hamburg, und
Marion Voigt, Zirndorf
Foto Vor- und Nachsatz: Privates Bildarchiv Andrea Kutsch
Foto Frontispiz: © Jacques Toffi Fotograf, Hamburg
Satz: Dörlemann Satz, Lemförde
Gesetzt aus der Trump Mediaeval
Druck und Einband: Ebner & Spiegel GmbH, Ulm

Printed in Germany
ISBN 978-3-7857-2057-8
5 4

Sie finden die Verlagsgruppe Lübbe im Internet unter
www.luebbe.de

Besuchen Sie Andrea Kutsch auf ihren Homepages
www.andreakutsch.de
www.andreakutschakademie.com

Für Winny und Momo.
Ihr fehlt mir sehr.

Inhalt

Vorwort

Wie wahrscheinlich Tausenden von Zuschauern der Fernsehdokumentation *Gnadenfrist für Witty* rollten mir vor dem Bildschirm die Tränen über die Wangen, als das Pferd im Hänger den Hof wieder in Richtung Heimat verließ. Ich war erleichtert, dass es dem Schlachter entgehen konnte und seine Beziehung zu seiner jungen Besitzerin gerettet wurde, und vor allem berührt von der Einfühlsamkeit der Pferdetrainerin. Gerettet wurde das Pferd nicht durch Magie, sondern durch die Fachkompetenz von Andrea Kutsch, die über den nötigen Pferdeverstand verfügte, um zu sehen, wo die Kommunikation zwischen dem Pferd und der Besitzerin auf Abwege geraten war.

Von Andrea blieb mir ein für sie typisches Bild im Gedächtnis haften, nämlich ihr ernstes, konzentriertes Gesicht, das während der Arbeit ganz auf das Pferd und seine junge Besitzerin gerichtet war, das dann im nächsten Moment des JOIN-UP aufleuchtete, als wäre ein inneres Licht entzündet worden und hätte den Raum um sie herum hell erleuchtet. Dieses Leuchten hatte mich angesteckt und seither für sie und ihre Arbeit eingenommen.

Monty Roberts hatte Andrea Kutsch und mich zusammengebracht. Abgesehen vom Fernsehen kannte ich wie viele der Zuschauer seiner Shows Andrea Kutsch als Helferin im Hintergrund oder während der folgenden Autogrammstunde, doch nicht persönlich und vor allem nicht ihre Art des Unterrichtens. Der erste Kontakt kam über Montys Handy zustande, als er in Deutschland auf Gestüt Fährhof Pferde trainierte und Andrea ihm dabei hilfreich zur Hand ging. Er meinte, dass wir zusammenarbeiten und unser Interesse für pferdegerechtes Training kombinieren sollten.

Seither sind viele Stunden mit Andrea vergangen; Zeit des gemeinsamen Diskutierens, der Seminare und der Arbeit mit Pferden. Längst ist aus der Arbeit persönliche Freundschaft entstanden und mehr noch: das gemeinsame Ziel, ihre Akademie aufzubauen.

»To make a better world for horses and people…« – Andrea Kutsch hat sich diesen Leitsatz ihres Lehrers Monty Roberts zum Maßstab ihres Lebens gesetzt, er spricht aus jeder Zeile ihrer Arbeit und ihres Buches und ist die Grundlage für die Faszination der Pferdeflüsterin, wie wir sie aus ihren Seminaren und von ihren Fernsehauftritten kennen. Sie hatte mit unglaublicher Beharrlichkeit und Zähigkeit von ihrem Lehrer, Monty Roberts, die Kunst der Pferdesprache gelernt und in ihrer täglichen Arbeit umgesetzt. Durch ihre Seminare hat sie sich längst unabhängig von ihrem Lehrer einen eigenen Namen gemacht. Ihr Erfolg wurde in unzähligen Fernsehauftritten und durch die Besucher ihrer Seminare dokumentiert, wo ihr nicht nur die Pferde gefolgt, sondern auch die Herzen der Zuschauer zugeflogen sind. Ihre geradlinige, transparente und auch humorvolle Art überzeugt ebenso wie ihre ausgewiesenen Kenntnisse des Pferdeverhaltens aus ethologischer Sicht und von reiterlichen Belangen her gesehen.

In ihren Seminaren erklärt und zeigt sie den Besitzern und Teilnehmern anhand ihrer eigenen Pferde genau und einleuchtend, wo die Kommunikation hapert und warum das Pferd die Gefolgschaft angeblich verweigert. Sie zeigt, dass Pferde nicht mit Magie zu bewegen sind, doch in höchstem Maß auf nonverbale Kommunikation reagieren und auch selbst kommunizieren. Demjenigen Pferdebesitzer, der sich nicht vor der eigenen Wahrheit fürchtet und sich von ihrem Wissen führen lässt, eröffnet sich eine ganz neue Welt der Partnerschaft mit dem Pferd, eine neue Dimension des Miteinanders, das auch dem Pferd seinen artgerechten Umgang ermöglicht und ihm den Weg dafür ebnet, endlich zu verstehen und verstanden zu werden.

Problempferde zu therapieren ist eines, Prophylaxe zu betreiben das andere. Diese Erkenntnis führte bei Andrea Kutsch zu dem Wunsch, ihre Akademie aufzubauen. Eine Schule soll es sein, an der Pferdefachleute ausgebildet werden, die neue Wege gehen, das Pferd als vollwertigen Partner akzeptieren und es mit seinen tierlichen Rechten in ihre Überlegungen während der Ausbildung der Jungpferde oder beim Training einbeziehen. Eine Schule soll es sein, welche die Einstellung, dass »ein Pferd muss...«, überwinden hilft und dem Zuhören und Verstehen der Sprache der Pferde die Zukunft eröffnet. Eine Schule soll es sein, welche die Welt der Pferde verbessert und ihr Zusammenleben mit uns Menschen für sie zum artgerechten Erlebnis macht. Dieses Buch über die Pferdeflüsterin zeigt in sympathischer und beeindruckender Weise den Weg und die Gedanken, die den Hintergrund zu Andreas Arbeit bilden.

Zürich, im Frühjahr 2006

Brigitte von Rechenberg
PD Dr. med. vet., Dipl. ECVS
Musculoskeletal Research Unit,
Pferdeklinik, Universität Zürich

Sprache aus einer anderen Welt

Warum lässt sich ein Pferd, das vor der kleinsten Berührung zurückschreckt, innerhalb weniger Augenblicke wieder anfassen? Aus welchem Grund schenkt ein durch Gewalt traumatisiertes Lebewesen einem Menschen plötzlich wieder sein Vertrauen? Was unkommentiert schwer verständlich ist und nahezu mystisch anmutet, was auf den großen Tourneen von Monty Roberts im Auge des Zuschauers zu Magie wird, ist die Arbeit mit einer besonderen Form der Kommunikation: der nonverbalen Sprache der Pferde.

In einer Realität, in der der weltweit meistverkaufte Reitsportartikel nach wie vor die Peitsche ist, soll es hier darum gehen, die Natur und die Kommunikation der Pferde verstehbar zu machen und die Leserinnen und Leser teilhaben zu lassen an dem, was auf den ersten Blick oft wie Zauberei wirkt. Auf der Grundlage unserer neuartigen Erkenntnisse habe ich es mir zur Lebensaufgabe gemacht, für ein artgerechtes, gewaltfreies Training von Pferden einzutreten.

Weniger um ein Flüstern geht es in der Arbeit der Pferdeflüsterer als vielmehr um ein Zuhören, ein Lesen der nonverbalen Sprache des Pferdes – und ein Verstehen dieser Spezies, deren Verhalten von uralten Naturgesetzen bestimmt wird. Auch im domestizierten Pferd wirken die evolutionsgeschichtlich entwickelten Reaktionsmuster seiner Vorfahren nach, die, lange bevor der Mensch die Bildfläche betrat, als Herdenverband von Fluchttieren in Freiheit lebten.

Wer mit Pferden arbeitet und lebt, mag einmal den ebenso kindlichen wie tief gehenden Wunsch verspürt haben, dass sein Partner und Freund sprechen könne. Dass Frage und Antwort möglich werden, Austausch und Kommunikation die Grundlagen dieser Interaktion zwischen zwei Lebewesen bilden. Warum kannst du bloß nicht sprechen? Diese Frage, die sich kleine Pferdenärrinnen wie versierte Pferdemänner gleichermaßen stellen, hat seit Monty Roberts eine Antwort. Pferde können »sprechen« – sie kommunizieren in der ihnen eigenen, uralten Sprache.

Weil diese Sprache eine auf Gesten beruhende, nonverbale Form der Kommunikation mit Reaktionszeiten von Sekundenbruchteilen ist, erscheint die Kommunikation zwischen Mensch und Pferd dem ungeschulten Auge oftmals wie eine Form von Magie, wie ein übernatürlicher Vorgang, bei dem es »nicht mit rechten Dingen« zugehen kann. Auf eine Distanz von mehreren Metern kann ein Pferd Pulsfrequenz und Adrenalinspiegel seines Gegenübers wahrnehmen. Für das Fluchttier ein überlebenswichtiger Instinkt.

Vor diesen Dimensionen wird erahnbar, wie hoch sensibel das Pferd auf die für uns zumeist unbewusste Körpersprache des Menschen reagiert. Pferde registrieren alles und tun eines niemals: sich in strategischer Absicht gegen den Menschen wenden. Berechnung und Strategie sind in ihrer Natur nahezu nicht verankert. Jedes Tun dient allein dem Überleben und der Fortpflanzung. Und das Herdentier Pferd wird immer die Gemeinschaft mit anderen – sogar mit einer fremden

Spezies – suchen, anstatt sich dem Gegenüber in einer Konfliktsituation im Kampf zu stellen. Schon zu zweit ist es stärker als allein. Der Ausschluss aus der Herde ist gleichbedeutend mit dem Tod des Individuums.

Die Sprache der Pferde ist keine Erfindung, keine neue Theorie und auch nicht, wie oftmals von Laien verbreitet, eine Methode. Es handelt sich dabei so einfach wie weit reichend um ein spezifisches Kommunikationssystem, das seit Urzeiten in dieser Form existiert und auf nichts anderem als Naturgesetzen basiert. Genau deshalb tritt die Arbeit mit dieser neuen Form der Kommunikation nicht in Konkurrenz zur so genannten klassischen Reitlehre, die in Deutschland wie in kaum einem anderen Land über starke Wurzeln und eine lange Tradition verfügt. Dass Pferde ihre eigene Sprache haben, ist keine Ansichtssache, sondern ein Faktum. Und diese Sprache ist im weitesten Sinne einer Fremdsprache vergleichbar. Man kann sie – so weit unsere Kenntnisse reichen – erlernen.

Die Möglichkeit einer intensiven, aufrichtigen und auf Vertrauen basierenden Kommunikation zwischen Mensch und Pferd verblüfft viele Menschen. Umso mehr, wenn sie sehen, wie effektiv sie den Umgang mit Pferden macht. Jegliche Form von Gewalt wird von vornherein vermieden und vollständig aus dem Szenario verbannt. Gewalt wird nicht länger als Instrument der Interaktion verstanden. Es darf nicht länger legitim sein, Gewalt auf das Gegenüber auszuüben, ohne dass ihm eine in seiner Sprache verständliche Wahlmöglichkeit bleibt, im Sinne von »Wenn du nicht tust, was ich will, tu ich dir weh«.

Die wichtigste Einsicht am Anfang meiner Ausbildung war, dass das menschliche Kommunikationssystem gänzlich anders funktioniert als das der Pferde. Anthropomorphismus, also das Vermenschlichen tierischer Gedanken, ist in der Ausbildung von Pferden, Reitern und Trainern weit verbreitet. Pferde haben die schwierige Aufgabe, in möglichst kurzer Zeit herauszufinden, was der jeweilige Trainer in seiner eigenen – dem Pferd fremden – Wahrnehmung der Welt von ihnen verlangt, um entsprechend ihren »Dienst« erfüllen zu können.

Im Umgang mit Pferden wendet der Mensch das verbale Sprechen als sein ureigenes und zentrales Kommunikationsmittel an. Meine Erfahrung und meine persönliche Sicht des gesamten Szenarios geben mir Grund zu der Annahme, dass die menschliche Sprache in der Wahrnehmung der Pferde nichts anderes ist als eine Anhäufung akustischer Geräusche ohne Intention: Lippenlärm – ein Begriff, den der Autist Axel Brauns geprägt hat. Unsere Sprache und unsere Gesten erreichen die Tiere in ihrer Welt nicht; sie erreichen ihren Geist vermutlich in einer anderen Form, als von uns gewünscht oder erhofft. Einige Pferde sind besser darin, unsere Sprache zu deuten, andere schlechter. Das führt zu Fehlinterpretationen.

So haben beispielsweise Schulpferde über die immer wiederkehrenden Reize der Stimme, die ganz bestimmten Aktionen und Reaktionen des Menschen entsprechen, eine bessere Möglichkeit, einzelne menschliche Worte und Signale zu deuten, als andere Pferde, deren Trainer, Reiter, Bereiter und Pfleger ständig wechseln. Jeder einzelne Mensch versucht auf seine individuelle Art und Weise, den Geist des Pferdes zu erreichen. Betrachtet man die Gehirnstruktur der Pferde und ihre instinktiven Verhaltensweisen, versteht man, dass das zwangsläufig zu Missverständnissen führt.

Sich im Geräuschedschungel der Menschen zurecht-
zufinden stellt an das Pferd immense Anforderungen.
Und es verlangt höchste Aufmerksamkeit zu erschließen, welche Worte der Mensch mit welcher Intention
an es richtet. Pferde leben in einer Erfahrungswelt, die
wir nicht betreten können. Über vieles können wir
mutmaßen, vieles können wir interpretieren und vieles
erahnen, wenn wir ihr Verhalten beobachten und analysieren. Letztendlich bleibt uns ihre Erfahrungswelt aber
verschlossen. Zumindest so lange, wie wir versuchen,
Pferde auf der Basis unserer eigenen Natur und unseres
Kommunikationssystems zu trainieren und zu verstehen.

Sich ein authentisches Bild vom Verstand eines Pferdes zu verschaffen hieße, in eine Welt einzutreten, in
der es keine Worte gibt, diese zu beschreiben. Eine
Welt, die für den Menschen ohne Sinn und Bedeutung
bleibt. In den philosophischen Untersuchungen von
Ludwig Wittgenstein findet man das Zitat: »Wenn ein
Löwe sprechen könnte, wir könnten ihn nicht verstehen.« Stephen Budiansky meint in seinem Buch über
die Intelligenz der Tiere (*Wenn ein Löwe sprechen
könnte*, Reinbek 2003) dazu, dass wir den Löwen wahrscheinlich durchaus verstehen könnten, er wäre eben
nur kein Löwe mehr. Sein Verstand wäre kein Löwen-
verstand mehr.

Der Ansatz meiner Arbeit ist, die Sprache der Pferde, die eigentlich keine Sprache ist, sondern vielmehr
ein effektives nonverbales Kommunikationssystem, zu
analysieren und zu erforschen. Ich möchte sie versteh-
und praktizierbar machen. Die Grundlagen dafür bilden
naturwissenschaftliche Gesetzmäßigkeiten. Immer mehr
widme ich meine Aufmerksamkeit dem praktischen

Transfer von ethologischen Erkenntnissen in die Verwendung und Umsetzung am Pferd.

Oskar Heinroth und sein späterer Schüler Konrad Lorenz waren Pioniere auf diesem Gebiet. Bereits 1906 hatte Heinroth festgestellt, dass bestimmte Verhaltensmuster bei Gänsen angeboren und damit erblich sind. Er verglich Rufe, Ausdrucksformen bei der Balz und der Aufzucht von Jungen. Dabei entwickelte er Begriffe wie Prägung, Drohgebärden, Imponiergehabe – Begriffe, die Konrad Lorenz später übernehmen und als Erster definieren sollte.

Viele Wissenschaftler bezeichnen Oskar Heinroth als einen der Begründer der Tierpsychologie, einem Zweig der Biologie. Die Forschungen von Charles Otis Whitman, Wallace Craig und Oskar Heinroth – später auch von Konrad Lorenz – eröffneten ein neues Feld für ethologische Untersuchungen. Erst in den Dreißigerjahren des 20. Jahrhunderts wurde mit der Forschung unter dem Begriff Tierpsychologie begonnen. Equitane Themen fanden in diesen frühen Studien allerdings keinen Platz. Vielmehr wurde davon ausgegangen, dass in der jahrhundertealten herkömmlichen Reitlehre ausreichend Wissen gesammelt worden sei, sodass es keinen Bedarf an neuen Erkenntnissen und Forschungsergebnissen gebe.

Die heute als Ethologie (vergleichende Verhaltensforschung) bezeichnete Forschungsrichtung steckt, was das Thema Pferd betrifft, noch immer in den Kinderschuhen. Monty Roberts war einer der ersten praktischen Ethologen, der in Kooperation mit vielen Wissenschaftlern und Veterinärmedizinern zwischen angeborenen und antrainierten Verhaltensweisen beim Pferd unterschied. Er begann, seine umfangreichen Beobachtungen auszuwerten und die Gesten und Verhaltensweisen entsprechend zu deuten. Gesten und Strukturen, die er später als die Sprache der Pferde definierte und Equus nannte.

Als ich im Jahr 1999 begann, mit Monty Roberts zu arbeiten, wurde mir die Tragweite seiner Arbeit und seiner Erkenntnisse schnell bewusst. Nicht nur dass Pferde über ein Kommunikationssystem verfügen sollten, das erlernbar und im täglichen Training anwendbar sei, war eine Sensation. Hier handelte es sich um eine Erkenntnis, die dafür Sorge tragen könnte, die allgemein übliche Gewalt im Umgang mit Pferden zu eliminieren.

Zum damaligen Zeitpunkt war Monty Roberts in Deutschland noch relativ unbekannt. Als wir hier gemeinsam die ersten Vorführungen und Tourneen starteten, die auf den Einfluss von Königin Elisabeth II. von England zurückgingen, war uns nicht mal ansatzweise bewusst, dass wir eine ganz neue Epoche im Umgang mit Pferden einleiten sollten.

Die Begründer der Ethologie standen in völligem Gegensatz zur damals international vorherrschenden Überzeugung der Behavioristen. Vertreter des Behaviorismus wie John Broadus Watson und sein Schüler Burrhus Frederic Skinner behaupteten im Gegensatz zu den Ethologen, bei Tieren gäbe es kein angeborenes Verhalten und subjektives Erleben. Bei jedem Verhalten, so ihr Ansatz, handele es sich um erlernte Reaktionsmuster.

Bedenkt man, dass das System der herkömmlichen Reitlehre nach wie vor auf dieser Ansicht basiert, wird deutlich, warum es noch immer zu unsäglichen Missverständnissen in der Kommunikation zwischen Mensch und Pferd kommt. Seit 1935 wurden immer mehr wissenschaftliche Stimmen laut, die die Entdeckung von instinktiven Verhaltensweisen bei Tieren als Lösung für viele Probleme im Umgang mit ihnen und als Schlüssel zu ihrem Verständnis bezeichneten.

Als Monty Roberts 1948 in Nevada die Verhaltensweisen von Pferden in der freien Wildbahn zu beobachten begann, fand er Muster, die bei domestizierten Pferden selten in dieser Deutlichkeit zu sehen waren. Er fing an, Hypothesen aufzustellen und sie zu überprüfen. Er versuchte, die Gesten zu entschlüsseln, die für das Kommunikationssystem des Pferdes von größter Bedeutung sind und sein Überleben in der freien Natur sichern. Und er verstand, dass die Ausbildung von Pferden mittels Zwang auf einem gewaltigen Missverständnis beruht.

Tatsächlich handelte es sich zu diesem Zeitpunkt noch um ein Teilkonzept, ausschließlich beruhend auf seinen zahlreichen Beobachtungen und auf herkömmlichem Pferdewissen. Monty Roberts fand als Beispiele für angeborene Verhaltensweisen das In-den-Druck-Syndrom oder auch das Lecken und Kauen, das sich beispielsweise zeigt, wenn ein ranghöheres Pferd ein rangniederes Pferd diszipliniert. Wir bezeichnen das Lecken und Kauen als eine demütige Geste, die eine Konfrontationsreaktion beim Gegenüber vermeidet. Auch die so genannte Prägung von Fohlen und Mutterstute ist eine, wie Dr. Robert M. Miller inzwischen nachgewiesen hat, durch bestimmte Auslöser in Gang gesetzte, instinktive Verhaltensweise.[1] Prägung wurde zu einem Schlüsselbegriff der ethologischen Epoche, und man unterschied zwischen instinktiven und antrainierten Verhaltensweisen. Unzählige Probleme im Training von Pferden ließen sich plötzlich erklären und analysieren. Instinktives Verhalten, präzise, eindeutig und seit Jahrtausenden unverändert, war einfach nie als solches erkannt und verstanden worden. Wie oft werden Pferde für ein Verhalten bestraft, das ihnen angeboren ist. Bestraft für ein natürliches Reaktionsmuster, einen Instinkt. Wer die Natur nicht kennt, kann auch nicht wissen, wann er gegen ein Naturgesetz verstößt.

Hinsichtlich geistig-seelischer Zusammenhänge haben sich in der zeitgenössischen Verhaltensforschung zwei Lager gebildet. Die kognitive Strömung besagt, dass ein Tier im Rahmen seiner Möglichkeiten wahrscheinlich darüber nachdenkt, was es tut. Die behavioristische Ansicht verneint das bewusste Denken anderer Lebewesen. Strenge Behavioristen gehen so weit, das Vorhandensein von Gedanken und Gefühlen bei Tieren in der wissenschaftlichen Diskussion nicht zuzulassen.

Angeregt durch Menschen wie Monty Roberts, die den Mut haben, Thesen weiterzuentwickeln, beginnen einige wenige Fachleute heute schüchtern hinter den behavioristischen oder sonstwie konventionellen Scheuklappen hervorzuschauen. Seit dem Ersten Weltkrieg haben die Wissenschaftler die geistig-seelischen Zusammenhänge weitgehend vernachlässigt, in erster Linie, weil die Verhaltensforscher zu der Überzeugung gekommen waren, es sei völlig unmöglich, bei Tieren automatische und gedankenlose Reaktionen von Verhaltensweisen zu unterscheiden, die eine bewusste Wahl einschließen.

Durch den von Monty Roberts entwickelten Prozess des JOIN-UP können wir heute nach Studien mit vielen Tausenden von Pferden ethologisch nachweisen, dass ein Pferd im Moment des JOIN-UP in der Lage ist, selbst eine bewusste Entscheidung zu treffen. Durch die eindrucksvollen Ergebnisse und die Integration psychologischer Zusammenhänge findet das Denken der Tiere heute wieder ernsthafte Beachtung.

Der Wissenschaftler Donald R. Griffin hat weit reichende Thesen über das bewusste Denken aufgestellt: Inhalte bewussten Denkens können aus unmittelbaren Empfindungen, aus Erinnerungen an Vorfälle in der Vergangenheit oder aus einer Vorwegnahme der Zukunft entstehen. Ein bewusst denkender Organismus tut mehr, als nur zu reagieren. Neben Konrad Lorenz (1963) und Heini Hediger (1947, 1968, 1980) haben sich nur wenige Ethologen über Gedanken und Gefühle der Tiere geäußert. Sie haben selten ihre Existenz dogmatisch in Abrede gestellt, aber sie betonen, es sei außerordentlich schwierig, wenn nicht unmöglich, etwas über das subjektive Erleben anderer Arten zu erfahren. Theodore Savory formulierte hingegen schon 1959: »Natürlich ist es schwierig, die Gedanken oder ihre Äquivalente, die das Verhalten eines Tieres bestimmen, zu interpretieren. Jedoch ist das kein Grund, es nicht zu versuchen.« (FN: Theodore Savory, *Instinctive Living. A Study of Invertebrate Behaviour*, New York: Pergamon Press 1959.)

Zwar gilt das Pferd als Tier seit 1990 juristisch nicht mehr als Sache, sondern als »Mitgeschöpf«, das durch besondere Gesetze geschützt wird (vgl. § 90a BGB). Doch es unterliegt noch immer wie ein Gebrauchsgegenstand den Rechtsnormen des Kaufrechts beziehungsweise des so genannten Gebrauchsgüterrechts. Monty Roberts hat mit seiner Arbeit den Grundstein für ein Verständnis von Pferden gelegt, das vielen Biologen, Ethologen, Veterinärmedizinern, Reitern und Pferdetrainern eine neue Sichtweise dieser Lebewesen eröffnet. Die Universität Zürich verlieh ihm dafür im Jahr 2002 den Ehrendoktortitel.

Eines von unzähligen Beispielen, die Monty Roberts gerne anführt: Ein Beute- und Fluchttier wie das Pferd wird in der Natur nur von einem Raubtier fokussiert. Auch wenn die Bejagung durch Raubtiere fehlt, ist trotzdem die Furcht davor tief verankert. Deshalb wird sich jedes Fluchttier vom Menschen wegbewegen, wenn dieser direkten, festen Augenkontakt hält. Ein Absenken des Blicks kann auf große Distanz gelesen werden, ebenso wie Schulterstellungen und Handbewegungen. Jede einzelne Bewegung des Menschen ist Kommunikation für das Pferd und hat eine Reaktion zur Folge. Damit entsteht eine Bindung zwischen Mensch und Tier, die auf Taten statt auf Worten basiert.

Das Zusammenleben mit uns steckt für Pferde voller Fehlerquellen, voller Fallen und Missverständnisse. Durch die meist schmerzhaften, negativen Konsequenzen, die sich aus einem Fehler ergeben, wird das Leben zum Spießrutenlaufen, das Unsicherheit und Angst mit sich bringt. Nach einer Studie, die ich 2005 durchgeführt habe, klagten über 75 Prozent der von mir befragten Besitzer von Problempferden über deren hohes und unkontrollierbares Angstniveau. Pferde, die mit unverständlichen Signalen und Informationen konfrontiert werden, etwa mangelndem Nachlassen von Druck oder Schmerzen durch unkorrekte Ausbildung, erhalten oft den Ruf, schwierig zu sein. Nicht selten werden sie in der Folge an Freizeitreiter verkauft, wo dann wiederum mangelnde Erfahrung zu Problemen führt. Viele solcher Pferde werden vom Menschen als dumm, aggressiv oder dominant bezeichnet, und das oftmals nur, weil sie nicht tun, wonach wir fragen.

In den Richtlinien der Deutschen Reiterlichen Vereinigung ist zu lesen: »Widersetzlichkeiten und Untugenden während der Ausbildung sind in den meisten Fällen auf eine ungenügende Grundlagenarbeit, Überforderung, auf Missverständnisse zwischen Reiter und Pferd oder eine zwangvolle Vorgehensweise zurückzuführen.«[2] Das ist eine sehr wichtige Aussage, die auf menschliches Fehlverhalten gegenüber Pferden verweist. Doch in der Praxis müssen sich Lösungsansätze erst noch durchsetzen, die das ureigene Kommunikationssystem der Pferde und ihre natürlichen Verhaltensweisen berücksichtigen. Die »Ausbildungsordnung der deutschen Pferdewirte«, die im Wesentlichen den Wissensstand von 1975 spiegelt, ist im Hinblick darauf sicher verbesserungswürdig.

Ob der Mensch das Ziel, Problemverhalten bei Pferden auszumerzen, über seine derzeitige Vorgehensweise erreichen wird, sei infrage gestellt. Auch der Ansatz, über die Zucht zu gehen, ist in zahlreichen Fällen weder sinnvoll noch praktikabel. Nach einer französischen Studie mit über 3000 Pferden außerhalb des Rennsports wurden mehr als 66,4 Prozent im Alter zwischen zwei und sieben Jahren getötet, und zwar nicht etwa aufgrund von gesundheitlichen Schwierigkeiten, sondern vor allem wegen angeblich unakzeptabler Verhaltensweisen.[3]

Solche hohen Verluste haben ihren Grund keineswegs in orthopädischen Erkrankungen oder Problemen des Atmungsapparats, wie es Auswertungen der Rennindustrie nahe legen.[4] Die Konsequenz daraus sollte sein, dass sich Tiermediziner und Pferdewissenschaftler, aber auch alle anderen, vermehrt mit Lerntheorien auseinander setzen, die als Basis eines guten Trainings, kontinuierlicher Erziehung und Verhaltensmodifikation dienen. Falsche Trainingsansätze können zu negativen Konsequenzen führen, die weit über die bloße Verschwendung von Zeit hinausgehen.

Sicherlich können Pferde sowohl aus unangenehmen als auch aus angenehmen Erfahrungen lernen. In einem Test wurden Ponys nach den Prinzipien von Belohnung und Bestrafung durch einen Irrgarten geführt. Die Tiere der einen Gruppe erhielten Futter, wenn sie den richtigen Weg einschlugen; den Ponys der anderen Gruppe versetzte man milde Elektroschocks. Es zeigte sich, dass diese Ponys wesentlich länger brauchten, um sich für eine bestimmte Richtung zu entscheiden, als diejenigen, die keine negativen Erfahrungen während des Lernprozesses gemacht hatten. Die Tiere, die mit Futter belohnt wurden, fanden ihren Weg durch den Irrgarten ganz einfach durch das schnelle, mutige und sichere Treffen von Entscheidungen. Das Element der Bestrafung, beispielsweise der Einsatz von Peitschen und Sporen, kann also die angeborenen Problemlösungsfähigkeiten der Pferde beeinträchtigen.[5]

Pferde, mit denen nicht auf der Basis eines für sie verständlichen Kommunikationssystems gearbeitet wird, leben von den Menschen isoliert, deren Gesichter nicht zu lesen sind und deren Worte keinen Sinn ergeben. Die visuelle Wahrnehmung eines Pferdes erlaubt kein detailliertes Fokussieren auf Nähe. Seine Augen unterscheiden sich anatomisch stark von denen des Menschen. Pferde sehen die Welt in Silhouetten.

Der Autist Axel Brauns beschreibt in seinem Buch *Buntschatten und Fledermäuse* (München 2004) das

Leben am Rand einer Welt, zu der ihm jeder Zugang fehlt. An Strukturrastern und wiederkehrenden äußeren Reizen richtet sich ein ungefähres Zurechtfinden in seiner unmittelbaren Umgebung aus. Kategorisierungen beleuchten einen vage erkennbaren Weg. Jede Form von Verständnis, Antizipation und Empathie entfällt:

»Mir fiel es nicht leicht, sie wahrzunehmen, sie waren nahezu unsichtbar in einer Welt, die sichtbar blieb... Da gab es die gutartigen Wesen, das waren die Buntschatten, und da gab es die bedrohlichen Wesen, das waren die Fledermäuse. Ein Buntschatten konnte sich urplötzlich in eine Fledermaus verwandeln und umgekehrt, ohne dass ich verstand warum.

Die pfützenhaften Gesichter dieser Wesen dampften wie nach einem Regen, und ihren Mündern entwich Lärm, aus dem ich weder Klang noch Bedeutung heraushören konnte. In mir kehrte Stille ein.« (Seite 15)

So ähnlich stelle ich mir die Situation von Pferden vor. Wie soll uns das Tier verstehen, wenn wir schlecht gelaunt in den Stall kommen und heute urplötzlich verboten ist, was gestern noch erlaubt war? In seiner Wahrnehmung entweicht unserem Mund Lippenlärm, da er die Worte nicht entschlüsseln kann.

Das Pferd lebt in einer anderen Welt. Um es dort zu erreichen, setzte Monty Roberts seine Beobachtungen der Wildpferde um und entwickelte den Prozess des JOIN-UP. Dieser dauert nicht länger als etwa zwei bis vier Minuten, je nach den charakterlichen Stärken von Pferd und Mensch. Er soll immer damit enden, dass zwei Partner das gemeinsame Ziel verfolgen, fair, umsichtig und in Ruhe miteinander umzugehen. Dann lassen sich die unterschiedlichen Welten von Mensch und Pferd verbinden. Monty Roberts definiert es so:

»JOIN-UP ist ein Prozess, der auf der Verständigung in einer gemeinsamen Sprache beruht mit dem Ziel, eine Bindung auf der Basis von gegenseitigem Vertrauen zu schaffen.« Können wir die Erfahrungswelten der Pferde vielleicht doch betreten?

Signale des Körpers

Die menschliche Kommunikation besteht – meist unbewusst – zu rund 80 Prozent aus Körpersprache. In seinem Buch *Körpersprache* (München: Mosaik Verlag 1996) geht Samy Molcho, der Pantomime und Experte für Ausdrucksformen sowie Signale des Körpers, auf die Möglichkeiten und Interpretationen der menschlichen Körpersprache ein. Kleinste Gesten, mimische Ausdrucksweisen, Haltungen und Bewegungen bilden einen individuellen Gesamtausdruck und prägen jede noch so geringfügige Aktion oder Reaktion. Körpersprache ist die eigentliche Urform der Kommunikation. Der Körper ist primär, nicht das Wort. Über Kultur- und Altersgrenzen hinweg gleichen sich grundlegende Körpersignale beim Menschen seit Jahrtausenden. In ihrer weiteren Entwicklung drückt sich die Körpersprache je nach gelernten Mustern, Lebenskreisen und sozialen Schichten unterschiedlich aus. Körpersprache ist erlern- und trainierbar.

Alles Leben, wie alle Kommunikation, beruht auf Interaktion. Ein ständiger Austausch, an dem wir Tag für Tag beteiligt sind. Unser gewohntes Verhalten läuft dabei in den meisten Situationen unbewusst ab. Deshalb registrieren wir auch nicht, dass es sich bei der Haltung der Außenwelt uns gegenüber immer auch um eine Antwort, eine Reaktion, einen Rückkopplungseffekt handelt. Die Aussage »Der andere verhält sich so, mich trifft keine Schuld« ist hierfür exemplarisch. Wir blenden unsere eigenen Verhaltensmuster aus, weil wir sie nicht mehr bewusst wahrnehmen, und übersehen dabei, dass der andere nicht nur agiert, sondern auch auf uns reagiert. Aus dieser – häufig nicht registrierten – Gegenseitigkeit zieht Samy Molcho den Schluss: »Ändere deine Einstellung zu den Menschen, und die Menschen ändern ihre Einstellung zu dir.«[6]

Ist uns eigentlich bewusst, dass wir permanent Signale aussenden, auf die unsere Außenwelt reagiert? Ist uns bewusst, dass wir uns dauernd in einem Wechselspiel von Aktion und Reaktion, von Wertung und Einschätzung bewegen? Was für die zwischenmenschliche nonverbale Kommunikation gilt, ist auf die Interaktion zwischen Mensch und Pferd übertragbar. Das Pferd als ein sensibler Beobachter von Gesten und Bewegungen nimmt unsere Körpersprache wahr – und reagiert darauf. Wer sendet zuerst einen Reiz aus und wer reagiert? Wo nimmt das Spiel seinen Anfang? Wer beeinflusst wen?

Fakt ist, was ich wahrnehme, entspricht nicht zwangsläufig der bewussten Absicht des anderen, ist nicht unbedingt das, was er mir von sich zeigen will. Im Positiven wie im Negativen. Begegnet mir jemand mit einer aggressiven Haltung, so war dies vielleicht nicht gewollt, sondern er reagiert nur, womöglich unbewusst, auf die von mir ausgesandten Signale. Schnell verändert sich im Bruchteil einer Sekunde der Tonfall, wird aus einer freundlichen Bitte eine nachdrückliche Forderung. Wie oft zwingen wir unser Gegenüber durch unser Verhalten in eine Rolle, die der andere gar nicht annehmen möchte, geschweige denn so beabsichtigt hat? Wir kreieren ein Szenario, in dem ihm gar nichts anderes übrig bleibt, als auf die von uns gegebenen Reize und Signale zu reagieren.

Samy Molcho findet für diese Situation plakative Beispiele: Befindet sich ein Mensch ohne konkreten Grund in einer angstbesetzten Stimmung, so sind seine Sinne äußerst sensibilisiert. Bei einem hohen Adrenalinspiegel und schnellen Puls wird er in jede Person, die auf ihn zukommt, eher eine Gefahr hineinprojizieren als in einer gelassenen und entspannten Grundstimmung. Wenn eine Frau in ihrer Grundhaltung ein tief sitzendes Misstrauen gegen Männer verankert hat, wird sie in jedes Zeichen der Annäherung und Zuneigung eines Mannes negative Absichten hineininterpretieren (»er will mich rumkriegen, abhängig machen«). Von vornherein entsteht so eine negative Beziehungsqualität, die jede positive und offene Kommunikation zum Scheitern verurteilt.

Der berühmte Pantomime weiß, dass schon kleine Körperbewegungen Gefühle blockieren, verändern oder erschaffen können. Sie wirken auf den anderen als Reiz, noch bevor wir uns dessen bewusst werden. Was für unser Gegenüber gilt, trifft auch auf uns selbst zu. Der Standpunkt gewinnt dabei sowohl in psychischer als auch in physischer Hinsicht an Bedeutung.[7] Schon eine kleine Bewegung von meinem Standpunkt – im körperlichen Sinn – weg stimuliert neue Reize, Ideen und Überlegungen. Beginne ich, mich gedanklich im Kreis zu drehen und nicht mehr vorwärts zu bewegen, ist ein räumliches Wegbewegen von der Stelle, an der ich bis eben verharrt habe, meistens sehr zuträglich. Aber auch wenn ich den anderen von seinem – inhaltlichen –

Standpunkt abbringen möchte, muss ich versuchen, ihn zunächst physisch davon wegzubewegen. Äußere Bewegung erzeugt innere Bewegung.

Das folgende Gedicht von William S. Cohen unterstreicht, wie nonverbale Kommunikation jede menschliche Transaktion durchflutet:

Das ungesprochene Wort
verhallt nicht ungehört.
Es verweilt im Auge,
im Brauenbogen.
Eine Handbewegung
ist beredter noch als Worte,
ihr Echo ruht im Herzen
wie Treibholz im Sand,
berieben von der Zeit,
bis es verrottet oder glänzt.
Das ungesprochene Wort
berührt uns wie Musik
den Geist.

In bestimmten Grenzen lässt sich dies auch auf die Beziehung zwischen Mensch und Pferd übertragen. Das Tier kann uns Aufschluss über unsere eigene Körpersprache geben, es kann einen Prozess des Lernens, ja sogar der Selbsterkenntnis anstoßen. Doch die Voraussetzung dafür ist, dass wir bereit sind, sowohl ehrlich zu uns selbst zu sein als auch uns ganz auf das Pferd einzulassen, uns dem fremden Lebewesen vorbehaltlos zu öffnen.

Naturgesetze und Körpersprache

Die nonverbale Kommunikation, die jede Gewalt ausschließt, beruht auf einem Konzept der Wahlmöglichkeiten. Fragen wir bei einem Pferd ein bestimmtes Verhalten, eine bestimmte Handlung an, so machen wir es ihm einfach, das »Richtige«, und schwer, das »Falsche« zu tun. Bedenken wir: Die Reaktionen des Fluchttiers Pferd basieren größtenteils auf instinktiven und physiologisch bedingten Verhaltensmustern, die der Spezies das Überleben ermöglicht haben. Es ist erstaunlich, wie wenig viele Pferdeleute über diese tief in der Natur des Pferdes verwurzelten Instinkte wissen und wie viel Stoff sich hier für eine vermenschlichende – und meistens falsche – Interpretation bietet.

Monty Roberts sagt über seine Arbeit: »Ich habe meine Trainingskonzepte nicht erfunden. Ich habe nur entdeckt, was in der Natur bereits vorhanden ist.« Grundlage seiner und auch meiner Arbeit sind nichts anderes als Naturgesetze, die wir zu verstehen gelernt haben und die es uns ermöglichen, mit Pferden in eine ihnen verständliche Kommunikation zu treten. Das Verständnis für die Natur der Pferde steht daher am Anfang aller Trainingsmethoden und der nonverbalen Kommunikation zwischen Mensch und Pferd.

Das Pferd verfolgt genau zwei Ziele im Leben: zu überleben und sich fortzupflanzen. Alle Aktionen und

Reaktionen sind diesen beiden Zielen als oberster Instanz untergeordnet. Dabei sind Pferde Individualisten, jedes Tier ist mit einer eigenen Persönlichkeit, individuellen Fähigkeiten und unterschiedlicher Sensibilität ausgestattet. Die Verteidigung des Pferdes gegen eine drohende Gefahr, wie ein Raubtier sie darstellt, ist die Flucht. Ganz anders als beim Menschen, der selbst eher dem Raubtier ähnelt und dessen Verteidigung häufig der Kampf ist. Ein Pferd wird sich immer erst dann für den Kampf entscheiden, wenn ihm alle Möglichkeiten der Flucht genommen sind. Kampf ist der allerletzte Ausweg des Pferdes, um zu überleben.

Beim Menschen dagegen liegt der Kampfeswille in seiner Natur begründet. Sobald sich ihm ein Hindernis in den Weg stellt oder ein Widerstand auftaucht, ist Kampf eine nahe liegende, fast schon natürliche menschliche Reaktion. Monty Roberts geht hinsichtlich des Umgangs zwischen Mensch und Pferd davon aus, dass das Ziel im Kommunikationsprozess darin besteht, dass das Pferd sich mit dem Raubtier verständigt und es so daran hindert, sich wie ein Raubtier zu benehmen. Größte Erfüllung für das Pferd ist ein Leben, in dem ihm keine Gefahr droht.

Die Natur der Pferde, ihre körperliche Konstitution und Physiognomie liefern Erklärungen für viele Verhaltensmuster, die uns aus dem täglichen Umgang bekannt sind. Warum zum Beispiel scheut ein Pferd an einem bestimmten Punkt in der Reithalle, an dem wir bereits viele Male auf einer Hand vorbeigeritten sind, sobald wir die Hand wechseln? Häufig ist der Grund in der Anatomie des Nervensystems und der Augen beim Pferd zu suchen. Die Augen liegen seitlich am Kopf, was dem Pferd ein Gesichtsfeld von rund 350 Grad ermöglicht. Aber nur was innerhalb eines Radius von ungefähr 70 Grad vor dem Pferd liegt, wird von beiden Augen gleichzeitig wahrgenommen. Jedes Auge nimmt also für sich eine Vielzahl von Informationen auf, die allerdings nur zu etwa 20 Prozent auf die andere Gehirnhälfte übertragen werden. Deshalb schafft der Handwechsel neue Ausgangsbedingungen und kann zum Scheuen führen, das auch der Fokussierung, dem Scharfstellen, dient.

Beim Pferd treten je nach Kopfhaltung mehrere blinde Flecken auf. Je nachdem, wo das Auge sitzt, reicht der nicht einsehbare Bereich beispielsweise von der Stirn bis zu 1,80 Meter weit nach vorn, etwa in einem Winkel von fünf Grad rund um die Schweifrübe, sowie vom Kinn bis hinunter auf den Boden sowie zwischen den Ohren nach oben. 285 Grad des Gesichtsfeldes besitzen keine Tiefenschärfe, sodass schon kleine Schatten auf der Erde für ein Loch im Boden gehalten werden können. In der Nacht sieht ein Pferd besser als der Mensch, da der größte Teil des Auges Pupille ist, die einen maximalen Lichteinfall ermöglicht. Anders als beim Menschen vergrößert die Struktur des Pferdeauges Objekte um rund 50 Prozent. Ein Grund dafür, warum schon kleinste vertraute Gegenstände ein Scheuen oder eine Fluchtreaktion hervorrufen können.

Die Furcht vor ungewohnten Dingen, die Neigung, zu scheuen und zu erschrecken, ist ein natürlicher Instinkt des Fluchttiers Pferd. Auch die Angst vor einer Bedrohung von oben spielt immer eine Rolle: Schließlich vermutet man, dass die Urahnen vor Jahrmillionen viel kleiner als das heutige Pferd waren und riesige Raubvögel zu ihren natürlichen Feinden gehörten. Ein instinktives Verhalten, das in den heutigen domestizierten Pferden fortwirkt. Ebenfalls ein Instinkt ist der dem Menschen weit überlegene Orientierungssinn des Pferdes. Viele Reiter berichten von Notsituationen, in denen sie längst die Orientierung verloren hatten und das Pferd sie wieder nach Hause brachte.

In der freien Natur bewegt sich das Fluchttier Pferd langsam, es zieht in der Herde, es spart Energie, um im Notfall schnell fliehen zu können. Die natürliche Fluchtdistanz des Pferdes beträgt 400 bis 600 Meter. Weil das Pferd nur einen kleinen Magen hat, muss es 18 bis 22 Stunden am Tag fressen, um den benötigten Energielevel aufrechterhalten zu können.

Bedenkt man, dass Pferde die verbleibenden Stunden des Tages für Fellpflege und zum Ruhen nutzen, wird deutlich, dass ihnen nicht viel Zeit zur Verfügung steht, um im Notfall zusätzliche Energie durch Futter aufzunehmen. Dies macht die These vom Energiesparer mehr als wahrscheinlich

Pferde haben kein strategisches und kein in die Zukunft gerichtetes Denken und Gedächtnis. Sie sind assoziative Denker, die sich an Situationen wie an Bilderreihen erinnern. Bild für Bild, Situation für Situation. Es gibt kein Vorausschauen und keine Gesamtheit. Unsere Kunst bei der Arbeit mit Problempferden besteht daher darin, zunächst das eine Bild zu finden, das negative Assoziationen und damit negative Reaktionen hervorruft.

Weil sie in erster Linie Energiesparer sind, wählen Pferde immer den Weg des geringsten Widerstands, wenn sie emotional und physiologisch dazu in der Lage sind. Nachdem ich durch das JOIN-UP das Vertrauen des Pferdes gewonnen habe, geht es im Training darum, Gegensätze zu bilden. Was ich will, mache ich dem Pferd komfortabel, was ich nicht will, mache ich ihm unkomfortabel. Dabei ist der Verzicht auf Gewalt immer oberstes Gebot. Wir arbeiten und kommunizieren mit der Psyche, dem Geist, dem Vertrauen des Pferdes. Für das Fluchttier ist der Mensch mit seinen raubtierähnlichen Merkmalen vermutlich ein natürlicher Feind. Im JOIN-UP bitte ich das Pferd, mich für das anzunehmen, was ich tue, und nicht für das, was ich bin oder sein könnte, nämlich ein Raubtier. Wenn das Pferd merkt, dass ich berechenbar bin und es nicht enttäusche, legt es seine Seele, seinen schweren Körper und damit sein ganzes Leben in meine Hände. Es überlässt mir die Anführerschaft, und im Gegenzug sorge ich für Schutz und Sicherheit.

Das Pferd sucht in seiner natürlichen Umgebung Ruhe und Frieden. Energieaufwändige Verhaltensweisen wie Buckeln oder Rennen sieht man in der freien Natur nur als Ausdruck von Freude und überschüssiger Kraft oder als Verteidigungsmaßnahme im Kampf mit einem Raubtier. Buckelt ein Pferd zum ersten Mal – zum Beispiel weil es sich vor einem Gegenstand erschreckt hat –, und der Reiter wird abgeworfen, so kann die darauf folgende Ruhe für das Pferd ein Signal der Belohnung sein. Geht der Reiter noch zwei bis drei weitere Male durch das Buckeln zu Boden, ist das Pferd möglicherweise konditioniert: Buckeln wird mit Ruhe belohnt, also muss es sich hier um das erwünschte Verhaltensmuster handeln.

Frei lebende Pferde organisieren sich in einer hoch entwickelten Sozialstruktur. An der Spitze der Hierarchie steht die Leitstute. Sie stellt die Regeln auf, kontrolliert die anderen Mitglieder und überwacht das Verhalten der »Halbstarken« in der Herde. Die Leitstute entscheidet, wohin die Herde wandert, wo sie ruht, wo sie Wasser und Nahrung sucht. Der leitende Hengst dagegen hat die Aufgabe, die Stuten der Herde zu befruchten und aufzupassen, dass sie nicht von anderen Hengsten gestohlen werden. Darüber hinaus hat er so gut wie keinen Einfluss auf die Herde. Entscheidend ist: Eine gute Führung spielt für die Herdenstruktur eine zentrale Rolle und ist für die Mitglieder der Herde überlebenswichtig.

In der Natur kann man beobachten, dass in Notsituationen meist die Leitstute als Erste die Gefahr entdeckt. Sie entscheidet, den Kopf zu heben und zu fliehen oder zu bleiben und die Energie für Notfälle zu sparen. Durch ihre Kompetenz, die sich in ihrer Körpersprache widerspiegelt, veranlasst sie die anderen Mitglieder des Herdenverbandes, es ihr gleichzutun, ihr zu folgen. Die Leitstute weiß, dass Gefahr droht, und trifft in Bruchteilen einer Sekunde ihre Entscheidung, die meist nicht infrage gestellt wird.

Trotzdem ist jeder für sich selbst verantwortlich und trägt auch die Konsequenzen seines Handelns. Sollte wider Erwarten eines der Herdenmitglieder zurückbleiben, lässt sich die Leitstute davon kaum beeindrucken. Falls tatsächlich ein Raubtier der Herde auflauert, kann ihm das isolierte Tier zum Opfer fallen. Während also Alleingänge die Überlebenschancen vermindern, fördert die Bereitschaft zur Unterordnung die Erhaltung der Spezies.

Im Gegensatz zu vielen Menschen verbindet das Pferd vermutlich nichts Negatives damit, sich unterzuordnen. Dafür, dass die Leitstute die Anführerschaft übernimmt und damit über Richtung und Geschwindigkeit im Herdenverband bestimmt, erfährt jedes Mitglied durch ihr Verhalten Schutz und Sicherheit. Ein Abkommen auf Gegenseitigkeit unter gleichberechtigten Partnern. Kommt diese Übereinkunft nicht zustande, werden Pferde oftmals nervös. Die Frage der Anführerschaft muss geklärt sein. Wenn wir sie nicht selbst übernehmen, dann tut es das Pferd. Sie tänzeln geradezu um den Menschen herum, der nicht in der Lage ist, die Rolle des Anführers auf eine ihnen verständliche Weise zu übernehmen. Ist die Frage aber geklärt, strahlen sie innere Ruhe und Gelassenheit aus – auch in schwierigen Situationen.

»Wenn wir anfangen, das Verhaltensmuster eines Pferdes durch Training zu beeinflussen, ist es unabdingbar, die Führung zu übernehmen. Es ist wichtig, dass jedes Pferd, mit dem wir arbeiten, sich seine Anweisungen und Ratschläge von uns holt, wenn es eine Aufgabe bekommt. Viele Problemfälle sind tatsächlich darauf zurückzuführen, dass dem Pferd Schmerz zugefügt und Dominanz ausgeübt wurde. Aber etwa ebenso viele beruhen darauf, dass es an Führung fehlt.« (Monty Roberts)

Es spricht viel dafür, dass es für Pferde kein Problem darstellt, eine vermeintliche Machtposition aufzugeben. Wichtig ist allein das Überleben des Herdenverbandes. Bestimmt jemand kompetent, schnell, ruhig und sicher Richtung und Geschwindigkeit für mich, schließe ich mich ihm an. Stellen wir jedoch fest, dass ich schneller und besser reagiere, wird sich der andere mir anschließen. Ohne Wenn und Aber.

Leider werden Menschen oftmals von ihrem Ego getrieben und sehen das Aufgeben einer Führungsposition als Scheitern an. Es fällt ihnen schwer zu akzeptieren, dass jemand etwas besser kann als sie selbst, besser entscheidet, schneller und sicherer reagiert. Dann beginnt ein Machtkampf, den man bei Pferden in der Natur so nicht beobachten kann. Von ihnen kann man lernen, dass das wache Beobachten der eigenen Fähigkeiten und das Erkennen der Stärken in anderen zur höheren Kompetenz für den ganzen Herden- oder Familienverband führt.

In der Arbeit mit Problempferden ist immer wieder festzustellen, dass sich ihre lebenslangen Erfahrungen in ihrem Verhalten widerspiegeln. Wer die nonverbale Kommunikation – die Sprache der Pferde – beherrscht, dem teilen sie das in der Vergangenheit Erlebte mit. Pferde reagieren extrem empfindsam auf die Bewegungen des Gegenübers. Schon die kleinste Bewegung der Augen wird wahrgenommen. So ist es möglich, ein Pferd im Roundpen nur durch einen Blickkontakt, ein Signal mit den Augen, vom Galopp in den Schritt zu verlangsamen.

Das Roundpen ist eine möglichst blickdichte runde Einzäunung mit einem Durchmesser von etwa 14 bis 17 Metern, je nach Größe und Galoppade des Pferdes. Kleinere Pferde können sich auch auf einem kleineren Zirkel frei bewegen, während größere Pferde mit einem raumgreifenderen Tritt etwas mehr Fläche brauchen.

Eine Zeit lang wurde die Arbeit im Roundpen missverstanden und dargestellt, als würden wir Pferde in dieses runde Areal bringen, um sie so lange im Kreis zu »scheuchen«, bis sie aufgaben. Das Gegenteil ist der Fall. Ein Pferd, das durch Scheuchen oder Jagen in einen Angstzustand versetzt wird, versucht so lange zu fliehen, bis Flucht keine Option mehr ist. Ist nun der Mensch in der Mitte dieser Einzäunung nicht in der Lage, dem Pferd durch kompetente Kommunikation sowie eine Vertrauen einflößende Gestik die Furcht zu nehmen, beispielsweise durch Nachlassen von Druck und Verlangsamen des Pferdes, enden beide in einem einsamen Monolog, der den magischen Moment des JOIN-UP verhindert.

Wir Menschen sind körperlich sehr viel langsamer als Pferde und haben im Vergleich zu ihnen zudem ein deutlich eingeschränktes Gesichtsfeld. Bringen wir das Pferd in eine Reithalle oder auf eine Weide und versuchen, auf kompetente Weise die Führung zu übernehmen, ist es sehr schwierig, über die Bewegungen des Pferdes Richtung und Geschwindigkeit zu bestimmen. Bringen wir das Pferd jedoch in eine entsprechende Einzäunung, so schaffen wir bessere Rahmenbedingungen dafür, dass die Kommunikation gelingt. Wir entscheiden über Richtung und Geschwindigkeit, und das Pferd kann jede unserer Gesten wahrnehmen und entsprechend darauf antworten.

Die Konstruktion des Roundpen ermöglicht uns, eine niedrige Pulsfrequenz beizubehalten und somit Ruhe und Gelassenheit auszustrahlen. Rennen oder gar Hetzen wird dagegen mit Verfolgung assoziiert und erhöht den Adrenalinspiegel bei Mensch und Pferd. Im Roundpen können wir über jeden Schritt, Trab oder Galopp, jede Drehung und jede Beschleunigung oder Verlangsamung des Pferdes bestimmen. Darauf kommt es bei der Übernahme der Führung an. Das ist die Grundlage für Vertrauen und für das darauf folgende Training.

Sehnsucht nach den Pferden

Wie Millionen von Mädchen war auch ich seit frühester Kindheit von Pferden fasziniert, begeistert, besessen. Ich wurde 1967 in Frankfurt am Main geboren, und meine Kindheit spielte sich im rheinhessischen Bad Homburg ab. Mit fünf Jahren saß ich zum ersten Mal auf einem Pferd, ritt später täglich auf den Islandpferden in der Nachbarschaft. Meine Eltern hatten mit Pferden und der Reiterei nichts zu tun. Es gab nicht jenes Reiterumfeld, in dem Kinder von klein auf automatisch in ein Leben mit Pferden hineinwachsen. Jeden Schritt in diese Richtung habe ich mir ebenso leidenschaftlich wie hartnäckig erkämpft. Unnachgiebig und unbedingt hatten die Pferde mein Herz erobert. Eine Begeisterung, die von meinen Eltern und vor allem von meinem Vater zunächst nicht unterstützt wurde. Aber ich blieb dabei. Ich wollte diesen Traum um jeden Preis leben.

Eines Tages kam der große Moment: Meine Eltern kauften »für die Kleine« ein Reitpony. Dominik hieß der Wallach, der von den Erwachsenen um mich herum von Anfang an als schwierig und nicht ungefährlich bezeichnet wurde. Ich verstand das nicht, denn mir hatte das Pony niemals etwas getan. Ich liebte es inbrünstig. Nicht an einen einzigen Moment der Angst kann ich mich erinnern. Dominik war damals in einem Stall untergebracht, in dem die Pferde in so genannten Ständern festgebunden waren. Das Rasseln der Kette durch den Eisenring, wenn er den Kopf zum Heu hinunterstreckte, höre ich noch heute. Der Stall war klein und dunkel, schlecht belüftet und unsauber. Das war damals üblich. Die meisten Ponys und Freizeitpferde wurden so gehalten, und niemand kam auf die Idee, diese Art der Pferdehaltung zu hinterfragen. Ich natürlich auch nicht. Eine wie auch immer geartete Normalität entsteht nicht zuletzt aus Mangel an Vergleichsmöglichkeiten.

Ganz bildlich erinnere ich mich an die unzähligen Stunden, die ich im Stall neben dem Pony saß, mit ihm sprach und es beobachtete. Ich glaube nicht, dass ich jemals wieder ein Pferd so persönlich, so bedingungslos geliebt habe wie als kleines Mädchen dieses Pony. Dominik geriet mit der Zeit bei den Erwachsenen um mich herum immer mehr in die Kritik. Sie empfanden ihn als Gefahr für mich. Er sei schwierig im Umgang, böswillig und unkooperativ, hieß es. Kann sein, dass er das bei anderen auch war – bei mir nie. Niemals. Keine Ahnung, wie oft ich vor ihm saß und fragte: »Warum kannst du nicht sprechen? Sag mir, was ist los mit dir, was ist das Problem?« Diese Gedanken ließen mich einfach nicht mehr los. Alles kreiste wieder und wieder um die eine, die entscheidende Frage: Warum kannst du mir nicht mitteilen, was du willst?

Wie mir heute scheint, wurde mein Pony in stillem Einvernehmen der Erwachsenen von einem Tag auf den anderen verkauft. Für mich brach die Welt zusammen. Ich war fassungslos, hilflos, untröstlich. Wir brachten es zu seinem neuen Besitzer. Ich durfte mit. Eine Kleingartenparzelle im Raum Frankfurt am Main. Da stand mein Pony nun zwischen dieser Holzhütte und dem nach Bier riechenden Eigentümer. Über unseren Köpfen rauschte der Frankfurter Bahnverkehr. Zurück blieben Fragen über Fragen. Sind Kinder wie Pferde? Meine Worte erreichten die Welt der Erwachsenen genauso wenig wie ihre Worte mich. Aber zwischen uns – meinem Pferd und mir – fühlte ich schweigendes Einverständnis. Abschied nehmen. Ein letztes Mal ein Streicheln am Hals, der Geruch an meinen Fingern gab mir Halt während der Fahrt nach Hause. Ich solle aufhören zu jammern, sagte jemand von vorn. Vergebliche Worte. Ich schwor in Gedanken, dass ich Dominik wiedersehen würde. Wenn ich groß bin, hole ich dich da raus, sagte ich mir. Kinderträume. Es sollte das letzte Mal gewesen sein, dass ich ihn sah.

Aussichtslos für ein Kind, auf die Suche nach dem Freund zu gehen. Erst Jahre später, am Tag meiner Führerscheinprüfung, machte ich mich auf den Weg. Die Tinte der Unterschrift unter der frisch erworbenen Fahrerlaubnis war noch nicht getrocknet. Ich suchte überall, durchkämmte die Schrebergartenanlagen, die Reitställe der Umgebung. Es gab viele Fährten, und überall hatte er Spuren hinterlassen. Es dauerte Wochen. Irgendwann nach dem fünfzehnten Reitstall gab es keine Ansatzpunkte mehr.

Wie unerbittlich hart vor allem mein Vater in seiner Entscheidung war, das für wertlos befundene Pony loszuwerden – egal, wohin, auch wenn es eine unsägliche Kleingartenkolonie war –, wurde mir anfangs intuitiv, in seiner ganzen Tragweite aber erst viel später bewusst. Natürlich ist es problematisch, wenn ein Pferd die ganze Zeit angekettet in einer Ständerbox verbringt und nur zweimal die Woche aus seinem Gefängnis befreit wird. Natürlich wollte ich öfter bei meinem

Pony sein. Natürlich ging das nicht, weil ein Erwachsener mich mit dem Auto zum Stall bringen musste. Abhängigkeit. Nach wie vor steht für mich fest, dass mein Pony Dominik weder aggressiv noch böswillig war. Zumindest was mich betraf. So vieles von dem, was ich in jenen Kinderjahren in Bezug auf Pferde, ein Leben und den Umgang mit ihnen geträumt und gefühlt habe, war intuitiv richtig, wie ich heute weiß. Aber es hat mir einfach niemand zugehört. Und es hat mir niemand erlaubt, das zu leben, was ich so klar und eindeutig vor mir sah.

Ich musste um alles und jedes kämpfen, vor allem um meinen eigenen Frieden. Im Nachhinein ist das nicht schlimm. Sind es doch nicht zuletzt diese immer wieder auftauchenden Widerstände, durch die ich gelernt habe, für meinen Traum und meine Freiheit zu kämpfen und mich immer wieder aufs Neue durchzusetzen. Viele Menschen schaffen das nicht. Kinder, die einen Traum haben, sollten sich diesen auch gegen den Widerstand der Erwachsenen bewahren. Manchmal dauert es Jahre oder Jahrzehnte, bis der Traum seinen Weg findet und Wirklichkeit wird. Aber seinen Traum nicht leben zu dürfen kann einen Menschen zerbrechen.

Die Suche nach meinem Pferd Dominik hat sich als unvergessliches und grausames Bild in meinem Kopf festgesetzt. Ein wunder Punkt – bis heute. Vor kurzem schenkte mir meine Mutter stolz einen DIN-A5-Rahmen mit einem alten Foto von uns beiden. Er steht im Keller, außer Reichweite. Dieses Pferd wurde letztendlich zu einer Schlüsselfigur für meinen späteren Werdegang. Zwar musste ich noch über 30 Jahre warten, aber schließlich durfte ich erfahren, dass Pferde tatsächlich eine Sprache haben.

Das Leben ging weiter, und auch mit dem Reiten ging es weiter. Bald ritt ich andere Pferde. Ich sei ein Talent, versicherte der Stallbesitzer und Reitlehrer meinen Eltern, und ich müsse gefördert werden. Zur Schule gehen und reiten füllte die Tage aus. Ich machte gute Fortschritte und wurde in den kommenden Jahren Reiterin von Turnierpferden in verschiedenen Disziplinen. Eines blieb dabei immer gleich: Am meisten interessierten mich die Ausbildung und das Training der Pferde – die Vorbereitung auf Turniere, das Gymnastizieren, der tägliche Umgang.

Nichts außer gelegentlich der Ansporn eines Reitlehrers trieb mich in den Wettbewerb. Ich strebte nicht nach Platzierungen oder öffentlicher Anerkennung. In dieser Richtung kannte ich seltsamerweise keinerlei Ehrgeiz. Rückblickend war es nicht der Sport an sich, der mich abgeschreckt hat, sondern die Art und Weise, wie ich meine Pferde zu Höchstleistungen bringen sollte. War es richtig, mein Pferd grausam zu maßregeln, weil es in der Springprüfung dreimal hintereinander vor einem Hindernis verweigert hatte? Wir wurden folgerichtig aus der Prüfung ausgeschlossen und vom Reitlehrer auf den Abreiteplatz zitiert. Aber ich konnte nicht tun, was er von mir verlangte. Mein ganzer Körper sträubte sich dagegen, dem Pferd Schmerz zuzufügen.

Nach ein paar Prüfungen verlor ich die Lust an dieser Form der sportlichen Leistung. Meine Gedanken kreisten immer mehr um die Frage, wie ich auf schnellstmögliche und effektivste Art Informationen an diesen fremden Geist übermitteln kann, wie ich mit ihm kommuniziere, sodass er mich versteht. Wie denken Pferde, wie fühlen sie, wie kann ich sie erreichen in ihrer Welt? Das waren die Fragen, auf die ich Antworten suchte.

Mein Pferdeleben spielte sich hinter den Kulissen des großen Sports ab. Damit verbanden sich auch die großen Namen, bei deren Trägern ich lernte, mit denen ich sprach und ritt. Jagden mit Hugo Simon in Dornholzhausen oder Springlehrgänge bei Familie Schockemöhle waren keine Seltenheit. Bei jeder Gelegenheit überschüttete ich meine Gesprächspartner mit Fragen über das Wesen der Pferde. »Warum verweigert ein Pferd hier den Sprung, während es da, ohne zu zögern, springt?«, »Was hat das Pferd gesehen, was dem Reiter entging?« Die Reihe der Warums und Wiesos wollte einfach nicht enden. Jede einzelne Frage führte zu hundert neuen Fragen. Die Antworten stellten mich allerdings nicht zufrieden.

Die Kernaussage meiner Umgebung blieb immer die gleiche: Ich müsse mich bei den Pferden einfach durchsetzen, auch mit Gewalt, sonst machten sie mit mir, was sie wollten. Man müsse ihnen zeigen, wer der Herr im Haus sei. Ein Pferd, das so tue, als würde es sich vor einem nichts sagenden Blumenkübel erschrecken, wolle seinen Reiter nur ärgern. Dem gehöre der Hintern versohlt, aber richtig, damit es wisse, wo es langgehe. Ich blieb allein mit meinen Fragen. Allzu oft beendete ein »Das ist eben so« die Diskussion.

Den Wunsch, nach der Schule eine Ausbildung als Bereiterin oder Pferdewirtin zu machen, schlug ich mir nach einem Gespräch mit dem Vater eines namhaften Dressurreiters und späteren Olympiasiegers aus dem Kopf. Heute bin ich ihm dafür sehr dankbar, denn diese Entscheidung hat meinem ganzen Leben eine Richtung gegeben, die es sonst wohl nie genommen hätte. Er riet mir mit den Worten ab, diese Ausbildung würde mir wohl kaum zur Erfüllung meines Traums verhelfen und auch meine Fragen nicht beantworten können. Sie entspräche nicht meinem Potenzial.

Ich nahm mir seinen Rat zu Herzen und begann in seinem Maschinenbauunternehmen eine Lehre als Groß- und Außenhandelskauffrau. Jede freie Minute gehörte nach wie vor den Pferden. Die beiden Kinder meines väterlichen Ratgebers trainierten konsequent und professionell. Sie bereiteten sich auf große reiterliche Ziele vor, und wir ritten im gleichen Stall. Ich erinnere mich an viele Gespräche mit ihnen, den Trainern, Bereitern sowie all den turnierbegeisterten Freunden. Dennoch sagte mir eine innere Stimme, es müsse noch andere Möglichkeiten geben, mit Pferden zu arbeiten. Immer schien es mir, als würden sie uns gar nicht richtig wahrnehmen, als wäre eine unsichtbare Mauer zwischen uns und ihnen, zwischen Mensch und Pferd. Der Zugang zu ihrem Geist und ihrem Herzen war und blieb irgendwie versperrt. Eine einseitige Beziehung. Ich konnte mir das einfach nicht erklären. Worin bestand die Hürde, die es zu überwinden galt? Was war es, das nur ich zu spüren schien?

Windsurfen

Eine völlig neue Leidenschaft erfasste mich eines Tages, als mich eine Arbeitskollegin mit zum Windsurfen nach Zell am See nahm. Ihre Begeisterung wirkte ansteckend, und ich wollte unbedingt von diesem Einssein mit Wind und Meer kosten, war fasziniert vom Umgang mit den Naturgewalten. Nur im Einklang mit der Natur und mit genauer Kenntnis ihrer Gesetzmäßigkeiten gab es hier ein Vorankommen. Das Wetter spielte leider nicht mit, sodass ich unverrichteter Dinge wieder nach Hause fuhr. Aber ich sollte bald Gelegenheit haben, den wilden Tanz auf den Wellen zu proben und eine wichtige Lektion für meine späteren Trainingsmethoden zu lernen: Erfolg ist nur mit und nie gegen die Natur möglich.

Eines Tages, meine Mutter machte gerade Urlaub auf Sylt, bat sie mich um eine Stippvisite auf der Insel; schließlich hatten wir uns längere Zeit nicht gesehen. Bei einem gemeinsamen Spaziergang entlang der Kurmuschel in Westerland traute ich meinen Augen nicht. Schönster Wellengang, Schaumkronen blitzten im Sommerlicht, so weit das Auge reichte, und dazwischen springende, fliegende Segel, scheinbar verschmolzen mit der Natur. Wir gingen an den Strand hinunter, wo man uns erklärte, dass gerade die Deutschen Windsurfing Meisterschaften der GWSA, der German Windsurfers Association, ausgetragen wurden. Meine Augen leuchteten, der Puls raste. Ich sah die glückseligen Gesichter der jungen Menschen, die an den Strand zurückkamen, und ahnte die Leichtigkeit des Seins. Das wollte ich können. Man empfahl mir eine Windsurfschule auf der anderen Seite der Insel in Munkmarsch.

Wenn ich damals etwas wollte, dann wollte ich es sofort. Später haben mir die Pferde beigebracht, geduldiger zu werden. Aber hier, am Strand von Deutschlands nördlichster Insel, entbrannte meine Leidenschaft für das Windsurfen erst richtig. Dieses Feuer darf nicht ausgehen, sagte ich mir. Man muss sich die Träume erfüllen, solange das Feuer brennt. Niemals in meinem Leben wollte ich mir vorwerfen müssen: Ach, hätte ich doch...

Also machte ich mich noch am selben Tag auf den Weg nach Munkmarsch. Ernüchterung. Flaches Wasser, Watt, Kneippkur, umherpurzelnde Anfänger auf, unter und neben den Surfbrettern. Das war ganz und gar nicht das, was mir vorschwebte. Ich wollte gleich in die Welle. Ich wollte springen, hüpfen, fliegen. Jetzt. Aber es gab wohl keine Alternative. Als ich das erste Mal auf dem Brett stand und Sekunden später unter dem Segel im Watt zu ertrinken drohte, wurde mir klar, dass ich für dieses Ziel wohl eine größere Reise würde antreten müssen. Geschenkt bekam man die Glückseligkeit des Fliegens anscheinend nicht.

Nach meiner ersten Surfstunde ging es zurück zum Brandenburger Strand an der Westküste, und die Faszination des Erlebten ließ mein Herz schmerzlich höher schlagen. Ich wollte dieses Gefühl der Freiheit, die Einheit mit der Natur und das Fliegen unbedingt selbst erleben, um jeden Preis. Auf dem Parkplatz knüpfte ich erste Kontakte zur Windsurfszene. Hier zählten weder Terminkalender noch Perlenohrringe. Hier zählten einzig und allein das eigene Glück und die Philosophie des Easy Living. So wollte ich leben. So wollte ich auch sein. Ich wollte aussteigen, alles hinter mir lassen, nur frei sein – und surfen. Meine Mutter befand sich am Rand eines Nervenzusammenbruchs.

Die neue Surfleidenschaft verlangte einiges an Einsatz und Organisationstalent. Freitagabend nach der Arbeit fuhr ich los, noch von Frankfurt aus, auf die Autobahn in Richtung Norden, mit dem von meiner Mutter gesponserten ersten Surfbrett auf dem Dach meines kleinen Autos. Von Frankfurt nach Sylt, Tempo 80 Spitze. Morgens bei Sonnenaufgang war ich auf dem Wasser. Übte und übte. Die anderen Surfer hielten mich für völlig übergeschnappt. Es ist wohl dieser eine Charakterzug, der mich schon das ganze Leben begleitet, der einen unsichtbaren Motor anspringen lässt, sobald ich ein klares Ziel vor Augen habe. Ich war gesichert aufgewachsen zwischen Wertigkeiten und Wichtigkeiten von Geld und Status. Mir prägte sich die Devise ein: Wer was hat, ist auch was. Jetzt war mir plötzlich etwas ganz anderes wichtig: Ich wollte Profiwindsurferin werden. Aber die Distanzfahrten von Frankfurt nach Sylt machten auf Dauer mürbe. Nachts fahren, von Sonnenaufgang bis -untergang auf dem Wasser, übernachten im Auto. Es war anstrengend. Was also kam als Nächstes?

Ich wollte aussteigen, zur »Bully Szene« von Westerland gehören. Ich folgte jedoch zunächst dem Vorschlag meiner Mutter, lieber eine Stellung in Hamburg anzunehmen. So konnte ich an den Wochenenden auf Sylt trainieren. Sie hoffte inständig, dass sich meine fixe Idee von einem alten VW-Bus und dem Leben auf einem

Sylter Parkplatz doch noch verflüchtigen würde. Wie es der Zufall wollte, schrieb gerade in dieser Zeit eine renommierte Hamburger Werbeagentur eine Stelle aus, die mich interessierte, die passte und die ich bekam. Umzug von Frankfurt in die Hansestadt im Jahr 1988. Hunderte von Kilometern näher am Meer. In einem Fiat Panda mit Faltdach und ohne Gepäckträger ging es den ganzen Sommer über mit dem Surfbrett jedes Wochenende nach Sylt.

Intensiv arbeitete ich weiter an meinem Surfkönnen, am Wissen um Wind und Wellen, um Technik, Balance und Tempo. Ich war absolut konzentriert und machte ganz gute Fortschritte. Es dauerte rund ein Jahr, bis mich das Freizeitsurfen nicht mehr weiterbrachte. Ich steckte fest auf einem Niveau, das für eine Frau zwar durchaus vorzeigbar war, aber auch nicht mehr. Es war wieder einmal Zeit, innezuhalten, die Fakten auf den Tisch zu legen, nachzudenken und den Kurs neu zu bestimmen. Ich kam zu dem Schluss: Wenn du wirklich weiterkommen willst, dann musst du das auch von ganzem Herzen wollen. Ich wollte. Job und Wohnung in Hamburg waren schnell gekündigt, und vom Gesparten kaufte ich einen ausgebauten VW-Bus. Mit inzwischen mehreren Surfbrettern auf dem Dach ging es wieder nach Sylt und aufs Wasser, dieses Mal für sehr lange. Ich stieg aus und sagte dem »normalen« Leben Adieu, um Profiwindsurferin zu werden.

Nun endlich traf ich die richtigen Könner, die damaligen Profis. Die, die aus dem schweren Highfly 333 die kleinen, spritzigen, flotten Waveboards shapten. Die, die die neuesten Finnen testeten und die Segel der nächsten Saison entwarfen. Die Devise war: schneller, höher, weiter. Einige von ihnen wohnten in Bussen, waren von Sonnenauf- bis Sonnenuntergang auf dem Wasser. Die Surferfamilie hieß mich willkommen. Eine Reise in eine andere Welt.

Ich lernte schnell. Von den Besten. In den frühen Morgenstunden verkaufte ich Brötchen in einer Sylter Bäckerei, danach stand meinen sportlichen Ambitionen den restlichen Tag lang nichts mehr im Wege. Es ging voran, ich wurde immer besser. Den Sommer über lebte ich in meinem VW-Bus. Surfen, bis die Blasen an den Händen offen waren und das Salzwasser ätzte. Abends reichte die Energie gerade noch, um auf dem Parkplatz aus einer Dose Ravioli zu löffeln, während jemand auf der Gitarre »Hotel California« spielte. Wenn dann der Wind noch einmal auffrischte, ritten wir vor der untergehenden Sonne, begleitet von ein paar Sylter Tümmlern, auf Boogie Boards die letzten Wellen des Tages ab. Glückseligkeit pur.

Am Ende des Sommers zogen einige von uns nach Barbados weiter. »Willst du mit? Wir haben ein Haus am Strand gemietet.« Ich wollte. Ich überwinterte auf Barbados und startete dort bei meinem ersten Weltcup-Rennen. Ich fand Sponsoren und führte bald die deutschen Bestenlisten an. Ich war Profiwindsurferin.

Als meine Mutter mich eines Tages fragte, warum ich das alles mache und was mich daran so fasziniere, musste ich keine Sekunde nachdenken. Es war das erste Mal, dass ich wieder so etwas empfand wie mit den Pferden. Ersetzen konnte das Windsurfen sie nicht. Mich faszinierte der Umgang mit den Naturgesetzmäßigkeiten. Ich fühlte und erahnte Parallelen zwischen meinen beiden Leidenschaften, dem Wasser und den Pferden.

Endlose Stunden und Nächte dachte ich in meinem VW nach. Über die Pferde, das Wasser, die Natur. Und wieder über die Pferde. Meine Gedanken kreisten um dieselben Fragen, die mich seit Jahren quälten und auf die niemand eine Antwort wusste. Bis es mir auf einmal wie Schuppen von den Augen fiel. Natürlich – die Antwort lag einzig und allein in der Natur. Wir mussten gegen irgendein Naturgesetz verstoßen, wenn es im Training von Pferden immer wieder zu solchen Problemen kam.

Wenn ich beim Windsurfen auf der falschen Seite des Segels stehe und ins Wasser falle, weil mir der Wind entgegenkommt, kann ich nicht sagen, der Wind ist dumm. Wenn manche Pferde machen, wonach wir fragen, und manche nicht, dann muss es etwas geben, was wir übersehen. Es muss etwas geben, was dafür sorgt, dass sie uns nicht verstehen. Ihre Welt muss eine andere sein. Ich war mir sicher: Wenn ich einem Pferd fliegende Wechsel beibringen will und nicht verstanden werde, kann ich nicht sagen, das Pferd ist dumm. Davon war ich überzeugt.

Colorado

Wo auch immer auf der Welt ich nun war, auch in der eingeschworenen Gruppe der Profiwindsurfer, suchte ich nach Möglichkeiten, mich auf ein Pferd zu setzen. An windstillen Tagen fanden sich immer ein paar Leute, die sich mit mir aufmachten, froh über die Abwechslung. Nahe Kapstadt ritten wir durch die Weinberge. In solchen Momenten war ich wirklich glücklich und dennoch rastlos. Nicht angekommen. Nach wie vor blieb die Frage, wie Mensch und Pferd sich näher kommen könnten. Es blieb stets das Gefühl, Pferde würden uns nicht vermissen, sie würden nicht bei uns bleiben, wenn wir alle Zäune niederrissen. Monty sagte später einmal: »Wenn wir die Zäune aufmachen und den Pferden die Wahl lassen würden, dann hätten wir wahrscheinlich eine Menge Salami auf der Autobahn.«

In den Jahren des Windsurfens hatte ich die Pferde nie wirklich vergessen. Sie waren immer da, wie ein Teil von mir, der höchstens einen Moment lang in den Hintergrund treten, aber niemals verloren gehen konnte. Immer wieder fand ich mich an Koppelzäunen stehend, wo ich nach dem Streicheln der Pferde den Duft an meinen Händen inhalierte. Ein Duft, der in mir stets die gleiche Sehnsucht weckte.

Jahre später berichtete mir mein Freund Andi, er wolle drei Wochen lang in Colorado mit einer Freundin

Langhornrinder treiben. Es sollte ein Ausflug ins echte Cowboyleben fern jeder Zivilisation werden. Das klang faszinierend und abenteuerlich. Das klang nach Herausforderung und nach einer Auszeit vom gewohnten Leben. Ich wollte unbedingt dabei sein. Drei Wochen im Sattel, eins mit der Natur in den unendlichen Weiten Colorados: Die Vorstellung begeisterte mich.

Zur Vorbereitung unternahmen wir in Hamburg mehrmals in der Woche mehrstündige Ausritte, wohl wissend, dass ein Ungeübter nach nur wenigen Stunden im Sattel am Ende seiner Kräfte und sein Gesäß wund gescheuert ist. Leidlich antrainiert, machten wir uns kurze Zeit später auf den Weg in die amerikanische Prärie, unter die sengende Sonne Colorados.

Wie die Stadtcowboys im Film *City Slickers* es vorgemacht hatten, drehten sich auch unsere Vorbereitungen maßgeblich um die richtige Ausstattung. Praktisch sollte sie sein, unkompliziert – und vor allem bitte cool. Das Schreiben unseres Gastgebers in Colorado riet uns als Nachtlager zu einer einfachen »Bettrolle«.

Das sorgte für Diskussionsbedarf. Klein genug, um cool zu sein, und trotzdem irgendwie komfortabel stellten wir uns unsere Ausrüstung vor. Stundenlange Debatten in den entsprechenden Fachgeschäften endeten mit einer silbrigen Folie, auf der man in den Achtzigern üppige Blondinen an Baggerseen liegen sah. Egal. Das gute Stück war so klein, dass es in unsere neuen Satteltaschen passte, und hob uns deutlich vom deutschen Standardtouristen mit seiner komfortablen Vollausstattung zum Ausklappen ab. Andi, Initiator der ganzen Reise, war der felsenfesten Überzeugung, dass Cowboys mit dem Kopf auf dem Sattel unter ihrem Pferd nächtigen. Daran gab es nicht den geringsten Zweifel. Tausendfach hatte ja selbst Hollywood die rauen Schlafgewohnheiten dokumentiert. Und, so sein Plan, die Silberfolie konnten wir im Schutz der Dunkelheit immer noch heimlich unter uns schieben. Gesagt, getan.

Die Chaps und die Cowboystiefel wurden im Training eingeritten und eingelaufen. Die klassischen Reithosen blieben im Schrank. Wrangler-Jeans, Rippenshirt, Cowboyhut und natürlich ein rotes Halstuch zum Schutz vor Staub und Dreck gehörten zur Grundausstattung. Cissa, die Dritte im Bunde, opferte ein Plätzchen in ihrer Satteltasche für Durchfall- und Wasserreinigungstabletten. Wenigstens eine von uns dachte an die praktischen Dinge.

Andi und ich hatten andere Sorgen. Wenn wir notwendigerweise schon mit dem Rauchen anfangen mussten – und das stand außer Frage –, sollten wir Camel oder Marlboro den Vorzug geben? Wir entschieden uns für Marlboro. Parallel zum Start der Raucherkarriere wurde das Whiskeytraining eingeleitet. Sicherlich würde man am Lagerfeuer reichlich trinken müssen. Wir wollten auf alle Eventualitäten vorbereitet sein und beim Rindertreiben so professionell wie eben möglich mit anpacken.

Wir flogen nach Dallas. Von dort aus ging es mit einer kleinen 20-sitzigen Maschine quer durch die Berge weiter nach Steamboat Springs. Am Hamburger Flughafen noch kopfschüttelnd belächelt, fühlten wir uns am Flughafen von Dallas schon in der richtigen Kulisse. Die Gedanken eilten voraus, malten großartige Sonnenuntergänge und unendliche Freiheit in unsere Köpfe. Keine Handys, keine Zivilisation. Nur Tausende von Rindern, ein paar Cowboys, unsere Pferde und die Weite der Prärie. Wir konnten es nicht erwarten.

Als wir in Steamboat Springs eintrafen, erwartete uns niemand. Alle wurden von den feinsten Pick-ups, eindrucksvollsten Hunden, bestaussehenden Cowboys abgeholt. Wir nicht. Andi hatte die Reise im Internet gebucht. Wir saßen betroffen auf dem Bordstein und fühlten uns wie kostümierte Touristen. Nach einer kleinen Ewigkeit schlich, in dunkle Rauchschwaden gehüllt, ein uralter, knatternder Jeep auf den Parkplatz. Andi scherzte: »Unsere Abholer.« Schallendes Gelächter. Der Wagen hielt vor unseren Füßen. Mit der sich öffnenden Beifahrertür sprang uns der abgewetzte rote Samtüberzug entgegen. Eine welkende Westernblondine im pinkfarbenen Mini, mit abgelaufenen Cowboystiefeln gleicher Couleur und angeklebten Fingernägeln mit Union-Jack-Motiv hüpfte uns kreischend entgegen: »Hiii, wie geht's? Wir sind 'n bisschen spät dran.« Wir sagten freundlich: »Hi, alles in Ordnung, kein Problem.«

Schweigend nahmen wir auf dem abgewetzten roten Samt Platz, und ich dachte darüber nach, wer auf dieser Liegewiese wohl im Lauf der vergangenen 20 Jahre in den nächtlichen Rocky Mountains seine Jungfräulichkeit verloren hatte. Schweigend beobachteten wir den grimmigen, Kautabak kauenden indianischen Cowboy auf dem Fahrersitz. Marlboro und Camel waren scheinbar nicht angesagt im Land der Rinder und Bullen – und das jetzt, wo wir gerade süchtig geworden waren. Der Einzige, der hier rauchte, war der alte Jeep. Schweigen. Ich schwelgte in Gedanken. Es gab nur eine wirklich alles entscheidende Frage: Wie viele Rinder mochte dieses ungleiche Pärchen wohl besitzen?

In die Stille der ohrenbetäubenden Fahrgeräusche hinein hörte ich Cissa die Worte aussprechen, die mich vor Pein in meinem samtenen Sitz verschwinden lassen wollten. Dankbarkeit, dass sie es war, die den unmöglichen Schritt machte: »Wie viele Rinder habt ihr eigentlich?« Der Cowboy nuschelte etwas, wir alle verstanden etwas anderes, aber doch eine eher kleine Zahl. Was hatte er gesagt? Cissa hatte 87 gehört, Andi 780. Ich klammerte mich verzweifelt an die Überzeugung, er müsse 7000 gemeint haben. Eines war uns völlig klar: Unter 1000 Rindern steigen wir gar nicht erst in den Sattel.

Wir passierten schweigend strahlend weiße Southfork-Zäune, Kilometer um Kilometer, prachtvolle Ranches rauschten vorbei, unsere Stimmung hob sich. Endlich schienen wir uns dem Ziel zu nähern, die Straße wurde schmaler, unser Cowboy bog in eine Auffahrt ein. Und da stand er. Trotzig, ausgemergelt, schroff. Ein zerbeulter, rostiger Campingwagen, der offensichtlich schon zur Zeit der Trecks gen Westen seinen fünften Frühling erlebt hatte. Unsere Gesichtszüge entgleisten, fassungslos starrten wir dem Schrotthaufen entgegen, der das Domizil unseres Pärchens war. Willkommen in Colorado.

Noch am selben Tag stiegen wir auf die Pferde. Außer uns waren drei Cowboys und zwei Cowgirls mit von der Partie. Es ging los, hinaus in die endlose Weite. Hinaus zur Herde, deren Mitgliederzahl uns ziemlich schnell völlig egal war. Schon eine einzelne Kuh kann einen in den Wahnsinn treiben und mit ihren Hörnern sogar in die Flucht schlagen. Am Abend stiegen wir gerädert von den Pferden. Zum Glück hatten wir die Silberfolien mit, um wenigstens einigermaßen komfortabel zu nächtigen. Wenn alle schliefen und die Cowboys auf ihren Sätteln lägen, würden wir sie unauffällig hervorholen. Als das Lager bereitet und das Feuer entzündet war, machten sich auch die anderen bereit für die Bettruhe. Wir trauten unseren Augen nicht. Riesige Klappbetten förderten sie aus den Tiefen ihrer Satteltaschen zutage. Sämtliches Equipment, dem wir in Deutschland eingedenk notwendiger Coolness eine Absage erteilt hatten, kam hier zum Einsatz. Hollywood hatte gelogen. Unsere Folien verabschiedeten sich beim ersten Windzug der Nacht auf Nimmerwiedersehen.

Was nun begann, war nicht weniger als eine Reise ins Ich, ins Wir, in die Welt, ins Universum. Gedanken über die Liebe, über Bedürfnisse, Freundschaft und Werte. Bis heute ist diese Reise für uns drei unvergesslich und hat uns für immer geprägt. Und sicher ist: Wir hätten kein einziges Rind mehr haben wollen als die 87, die wir Kilometer um Kilometer durch die Rocky Mountains trieben, umweideten, kastrierten und brandmarkten.

Eine der vielen Lektionen dieser Reise lernte ich in einer engen Bergschlucht. Steil aufragende Felswände links, senkrechter Abgrund rechts. Sicher setzten die Pferde einen Fuß vor den anderen. Nur ein falscher Tritt, nur wenige Zentimeter daneben würden den sicheren Absturz bedeuten. Auf diesem schmalen Pfad begriff ich, dass ich mein Pferd entscheiden lassen musste. Ohne vollstes Vertrauen in dieses 600 Kilogramm schwere Lebewesen unter mir wäre ich verloren gewesen – genau wie die anderen.

Auch wenn ein für das Rodeo trainierter Langhornbulle mit voller Geschwindigkeit auf einen zurast, während man ihm mit dem Pferd den Weg versperrt, um die Herde umzuleiten, sollte man es dem Pferd überlassen, wer die Rolle des Anführers übernimmt. Schaltet der Menschenverstand aus mangelnder Kompetenz auf seine Überlebensinstinkte um und besteht auf seiner Befehlsgewalt über das Pferd, indem er es zur Seite reitet, bleiben als Konsequenz nur fluchende Cowboys und endlose Stunden, in denen die Herde wieder zusammengebracht werden muss. Hier also lernte ich, auf mein Pferd zu hören und mich in lebensbedrohlichen Situationen einfach herauszuhalten. Die Entscheidung, stehen zu bleiben oder zu fliehen, überließ ich den Pferden. Sie machen keine Fehler.

Ich erlebte auch deprimierende Situationen wie die folgende Schlüsselszene, die mich schlagartig in meine Vergangenheit zurückkatapultierte. Der Anführer unserer kleinen Gruppe hatte ein junges Pferd dabei, das er auf diesem Trip trainieren wollte. Immer wieder trieb er es mit seinen Rädchensporen den Hang hinauf und wieder hinunter. Das Pferd sollte trittsicherer werden. Es ging in die Knie, um überhaupt einige Meter hinaufzuklettern, so steil war der Hang. Unter größter Anstrengung gab dieses Tier alles, um die Befehle seines Reiters zu erfüllen. Nach einigen Versuchen ein letztes kraftloses Abstoßen. Der Cowboy prügelte auf sein Pferd ein. Es sei noch nicht fertig. Es müsse seine Grenzen begreifen.

Ich kannte diese Methoden aus meiner aktiven Zeit. Erinnerungen flackerten auf. Ich hatte sie aus Machtlosigkeit gegenüber der blanken Gewalt verdrängt. Hier war es wieder. Alles wiederholte sich. Die gleichen aggressiven Gesichter, wie ich sie so oft bei inkompetenten Ausbildern oder bei Reitern erschöpfter Pferde auf der Jagd gesehen hatte. Ich weinte innerlich und wusste nun, warum ich aufgehört hatte zu reiten, warum das Windsurfen mich so begeisterte. Der Kreis schloss sich.

Das Pferd stürzte, überschlug sich und rollte, sich überschlagend, den Berg hinunter, bis es zwischen zwei Bäumen eingeklemmt liegen blieb. Der Cowboy fluchte.

Es sind nicht die Cowboys. Es ist der Mensch. Der Mensch, der die Kontrolle verliert, der seine Aggressivität nicht steuern kann, wenn das Gegenüber seine Befehle nicht erfüllt, wenn er seine Machtansprüche nicht verwirklichen kann. Ich wollte abreisen, nach Hause. Inmitten der Berge von Colorado? Nach einwöchigem Ritt, ohne ein Haus, ohne einen Menschen gesehen zu haben? Wohin? Ich konnte hier nicht wegrennen. Und ich wurde gezwungen, zu verzeihen und zu bleiben. Dieser Mann hatte getan, was in seinen Augen das Richtige gewesen war. Ich musste hier bleiben, diesen Menschen ertragen und diese quälenden Gefühle in mir – Ohnmacht und Hilflosigkeit.

In meinen Gedanken wurde ich eins mit dem malträtierten Pferd. Und dieses Mal traf mich die Erkenntnis, mich ihm nicht mitteilen zu können, härter als je zuvor. Die Zeit verging, die Gewalt blieb dieselbe. Das Pferd wurde befreit, stand da, ängstlich, schwitzend, blutend. Es musste weitergehen. Hier draußen gab es keine Alternative. Wieder akzeptierte es seinen Reiter. Und wie schon so oft stellte sich mir die Frage: Sind Pferde in ihrem Verzeihen eigentlich dumm? Oder zeigt gerade ihre Toleranz, wie weise sie sind, wie schlau? Wie sehr sie dem Menschen durch ihre unendliche Kooperationsfähigkeit und Kompromissbereitschaft überlegen sind?

Stephen Budiansky schrieb einmal über die Frage »Wer ist schlauer?«: »Einen Hund oder ein Pferd nennen wir schlau, wenn sie tun, was wir von ihnen verlangen.«[8] Doch von vermeintlich störrischen Pferden, die wir als dumm bezeichnen, sind viele nicht weniger intelligent als ihre angeblich schlauen Artgenossen. Ebenso schnell, wie die »Schlauen« gehorchen lernen, lernen die »Dummen«, sich dumm zu stellen. Wir sind in der Regel beeindruckt von einem Hund, der eine Schafherde vor sich hertreibt und sich auf Zuruf blitzartig hinlegt. Was uns nicht im Geringsten imponiert, ist ein Hund, der nach sechs Wochen Hundeschule beginnt, das Kommando »Hierher!« selektiv zu überhören. In beiden Fällen ist die so genannte Intelligenz hinter dem Verhalten gleich hoch. Unter rein lerntechnischen Aspekten könnte der zweite Hund sogar als schlauer bewertet werden, zumal er gelernt hat, den Vollzug eines antrainierten Verhaltensmusters unter Vorbehalt zu stellen: Komme auf Befehl, es sei denn, du bist weit weg von deinem Befehlsgeber, und die unmittelbaren Belohnungen, die sich aus dem Ignorieren des Befehls ergeben, sind größer als diejenigen, die dessen Befolgung einbringen könnte.

In ähnlicher Weise beherrschen Pferde, die als widerspenstig bezeichnet werden, oftmals eine sehr differenzierte, erlernte Fähigkeit zur Assoziation. Allerdings nicht so, wie es der Mensch beabsichtigt: Ein Pferd, dessen Kapriolen dem Reiter Angst machen und ihn veranlassen, die Übungsstunde abzubrechen und das Pferd in den Stall zurückzubringen, hat gelernt, eine Assoziation herzustellen zwischen anarchischem Verhalten seinerseits und der unmittelbaren Belohnung, nicht weiterarbeiten zu müssen.

Pferde sind hochgradig lernfähig, auch wenn ihnen diese Fähigkeit vom Menschen immer wieder abgesprochen wird. So bezeichnen manche Menschen Pferde als dumm, wenn sie vor einem Stein im Gelände oder einer Abschwitzdecke über der Hallenbande zurückschrecken. Dabei ist unter anderem die Anatomie ihrer Augen dafür verantwortlich, dass Pferde leicht scheuen. Die Scheubewegung ist nichts anderes als ein Fokussieren des Angst einflößenden Objekts. Den Vorteil des großen Gesichtsfeldes bezahlen Pferde mit verhältnismäßig schlechter Sehschärfe, in der einzelne Gegenstände aus der Hintergrundwahrnehmung plötzlich in die Vordergrundwahrnehmung kippen können.

Colorado öffnete mir die Augen. Führte mich wieder an die Abgründe und Grenzen der Kommunikation zwischen zwei Lebewesen heran und hinterließ ein Gefühl der Verzweiflung. Rückblickend gab es in meinem Leben bis dahin kein annähernd so eindrucksvolles Erlebnis und nichts, das eine so tief greifende Veränderung im Denken hervorgerufen hätte. Colorado machte mir eines mit überwältigender Deutlichkeit klar: Ich brauche die Pferde und die Natur in meinem Leben. Nichts auf der Welt steht mir näher, nichts kann mich so erfüllen wie die Arbeit mit diesen Lebewesen.

Ich hatte den dringenden Wunsch, eine regelrechte Sehnsucht danach, den Pferden etwas von dem zurückzugeben, was sie mir schenkten. Ich wollte ihr Leben mit den Menschen schmerz- und gewaltfreier machen. Keinem Kind sollte jemals mehr sein Pony weggenommen werden, weil irgendein unwissender Erwachsener es für gefährlich und aggressiv hielt. Pferde sollten nicht gequält werden, nur weil der Mensch nicht in der Lage war, sich ihnen verständlich zu machen.

All die Gedanken, Erfahrungen und Eindrücke der vergangenen Jahre fügten sich in Colorado zu einem festen Bild, waren auf einmal schlüssig, passten und ergaben einen Sinn. Als wir nach Wochen im Sattel nach Deutschland zurückkehrten, war klar, dass ich den Pferden treu bleiben würde.

Spagat zwischen Beruf und Traum

M ein Geld verdiente ich nach meiner Auszeit als Windsurferin mit Marktforschung. Ich hatte in Hamburg ein Institut gegründet, um neue Techniken in der Umfragemethodik und bei der Rekrutierung von Testpersonen zu erarbeiten und zu etablieren. Eine Marktlücke, wie sich herausstellte. Das Geschäft mit Sitz an der Außenalster florierte, und ich wurde mit dem Jungunternehmerpreis »Innovative Unternehmens-ideen« von Albert Darboven ausgezeichnet.

Nach Colorado fiel es mir schwer, wieder in die Rolle der erfolgreichen Hamburger Jungunternehmerin zu schlüpfen. Niemand hatte dieser Reise große Bedeutung beigemessen. Die Chefin machte eben mal Ferien. Das war bis dahin nie vorgekommen und war vielleicht das einzig Sonderbare an der ganzen Geschichte. Zu dem Zeitpunkt beschäftigte ich 17 Mitarbeiter und tobte regelmäßig in Chaps und mit Cowboyhut durchs Büro.

Die Leidenschaft für Pferde war nach der Rückkehr aus Colorado wieder voll entfacht. Der Geruch des Stalls und der Pferde, die Arbeit im Freien, die Ruhe und der Einklang mit der Natur: Das war es, was mein Herz erfüllte. Der Spagat zwischen Geschäft und Lei-denschaft kostete mich zunehmend Kraft. Das Rekru-tieren von Testpersonen für Marktforschungszwecke,

1. *Oben:* Schon
auf dem Dreirad
nahm ich volle
Fahrt auf!
(Foto: Privatarchiv
Andrea Kutsch)

2. *Mitte:* Dominik,
mein erstes eigenes,
unvergessenes Pferd
(Foto: Privatarchiv
Andrea Kutsch)

3. *Unten:* Mit
Dominik bei einem
Umzug. Er galt bei
den Erwachsenen
um mich herum
von Anfang an als
aggressiv, was ich
überhaupt nicht
verstehen konnte
(Foto: Privatarchiv
Andrea Kutsch)

4. *Oben links:* Fotoshoo-
ting beim Windsurfen
für das Magazin *Surf* auf
Aruba, 1989 (Foto: Privatarchiv Andrea Kutsch)

5. *Oben rechts:* Beim
Worldcup der PBA (Profes-
sional Boardsailors Asso-
ciation) auf Barbados, 1990
(Foto: Privatarchiv Andrea
Kutsch)

6. *Unten:* Die Weiten
Colorados. Zwischenstopp
nach einem staubigen
Aufstieg zu einem See, um
Pferde und Rinder zu
tränken (Foto: Privatarchiv
Andrea Kutsch)

7. *Oben links:* Mit Reiter-
kollegin Cissa (r.) kurz
vor dem Aufbruch ins zwei-
wöchige Colorado-Abenteuer
(Foto: Privatarchiv Andrea
Kutsch)

8. *Oben rechts:* Andi, Cissa
und ich (v.l.n.r.) am Morgen nach der ersten Nacht
unter freiem Himmel. Lustige
Analyse unserer Einschät-
zung als »City Slickers«
(Foto: Privatarchiv Andrea
Kutsch)

9. *Unten:* Zwischenstopp in
den Rocky Mountains. Einmal
die Woche versorgte uns ein
Wagen mit Nahrungsmitteln.
Kurz vor Einbruch der Dunkel-
heit gab es nach einem langen
Tag immer eine Stärkung am
Lagerfeuer (Foto: Privatarchiv
Andrea Kutsch)

10./11. Der aktive Polosport war eine Zeit, die mich bereicherte, forderte – aber auch zweifeln ließ. Neue Dimensionen der Gewaltanwendung am Pferd brachten mich zum Nachdenken. Dennoch bin ich dankbar für die wunderbaren Erfahrungen (Fotos: Privatarchiv Andrea Kutsch / Norbert Steffen, Oberhausen)

IDEE-FÖRDERPREIS

GE...T VON ALBERT DARBOVEN

...ft Claudia N...

...ist...ür Familie, S...

...ugend

12. Auszeichnung mit dem 1997
erstmalig verliehenen Idee-Förderpreis
»Innovative Unternehmensideen«
durch Albert Darboven (in der Mitte: Karl
Otto Pöhl). Jahre später wurde »Atti«
wertvoller Gesprächspartner in Sachen
Pferd – nicht nur im Polosport, sondern vor
allem auch im Rennsport
(Foto: Privatarchiv Andrea Kutsch)

das Bestehen in »wichtigen Meetings« und der Businesslook wurden mehr und mehr zur Nebensache. Ich bin kein Spagat-Mensch, sondern eine Ganz-oder-gar-nicht-Person. Eine Frau, die ihre Träume lebt. Innen und Außen müssen eins sein, authentisch.

Privat tauchte ich immer tiefer in die Welt des Polosports ein. Nach der Colorado-Reise war ich als Erstes zu jenem Stall gegangen, in dem wir uns auf das Cowboyleben vorbereitet hatten. Hier wollte ich wieder in die Reiterei einsteigen und begann, aktiv Polo zu spielen. Der Hamburger Poloclub ist der älteste Club Deutschlands. Zu meiner größten Überraschung durfte ich nicht mitspielen. Es gab keinen Platz für mich in der Herrenriege. Erst nach einer Weile verstand ich, dass es hier nicht in erster Linie um das Thema Pferd ging, sondern um das Thema Prestige.

Frauen im Sattel waren nicht erwünscht. Sie hatten ihre eigene Rolle zu spielen und durften im Chanel-Kostüm vom Rand her ihre Zigarre rauchenden Gönner anfeuern. Was war zu tun? Vom Sport mehr als fasziniert und mit ausreichend reiterlichem Können ausgestattet, stand ich in dieser Männerdomäne dennoch auf verlorenem Posten. Ich ließ mich nicht einfach mit einem Gläschen Champagner in die Loge abschieben. Das sorgte in den eingeschworenen Kreisen für reichlich Gesprächsstoff – und für böses Blut. Obwohl ich nach einiger Zeit Mitglied wurde und sogar einige Turniere spielen und gewinnen konnte, büßte diese Szene für mich schnell ihre Reize ein.

Ich konzentrierte mich auf die Arbeit mit den Pferden, wieder mal das einzige Thema, das mich wirklich interessierte. »Stick and Ball« heißt das Training mit Stock und Ball, in dem Schlagtechnik, Taktik und

Schnelligkeit ausgebildet und trainiert werden. Polo ist eine der ältesten Sportarten der Welt. Bis ins siebte vorchristliche Jahrhundert lässt sich seine Tradition zurückverfolgen. So heißt es, dass die Perser das Polospiel in den Norden Indiens brachten, wo es noch heute kultiviert wird. Der Name geht angeblich auf das tibetische Wort »pulu« zurück, was so viel heißt wie Weidenknorren – eines der Materialien, aus denen früher die Polobälle gepresst wurden. Nachdem die Engländer im indischen Manipur ihre Begeisterung für Polo entdeckt hatten, gründeten sie 1873 in ihrer Heimat den Hurlingham Polo Club, aus dem der internationale Dachverband hervorging. Heute wird in über 80 Ländern der Welt Polo gespielt, allen voran Argentinien, wo Polo als Volkssport weit verbreitet ist. Von jeher kommen von dort nicht nur die besten Polopferde, sondern auch die meisten Spieler der Weltelite. Argentinische Pferdepfleger arbeiten häufig die Sommersaison über in deutschen Poloställen, wenn hier viel Personal gebraucht wird.

Bei aller Faszination wurden mir mit der Zeit auch die Schattenseiten des Sports immer bewusster. Der Umgang mit den Pferden war oft rau, viele Pfleger übten bedenkenlos Gewalt aus. Manche Pferde zeigten Problemverhalten, sträubten sich zum Beispiel gegen die Waschbox, ließen sich nicht die Hufe heben oder gingen nicht auf den Hänger. Die ganze Palette an Schwierigkeiten. Ich lernte eine ganz neue Härte gegenüber Pferden kennen, eine neue Dimension von Gewalt.

Mein damaliger Lebenspartner und ich dachten nach einer Weile darüber nach, eine eigene Zucht für Polopferde aufzubauen. Diese Pferde sind ganz besondere Kreuzungen. Sie sind kompakt und wendig, können hervorragend beschleunigen und ein Polospiel intuitiv »lesen«.

Weil ich schon immer begeistert vom Rennsport war und mein Hauptinteresse nach wie vor auch im Polo dem Training der Pferde galt, kamen wir auf die Idee, Vollblüter, die sich für den Rennsport nicht eigneten, zu Polopferden umzutrainieren. In den Anfängerklassen der Poloschule, der mein Partner angehörte, arbeitete man in erster Linie mit den ruhigeren, etwas schwerfälligen Criollos, während in den hohen Spielklassen hauptsächlich Vollblüter eingesetzt wurden. Zwar spielte mein Freund für einen renommierten Stall und hatte insofern für die Turniere Vollblüter zur Verfügung, aber den Bestand der Poloschule bildeten eben vorwiegend Criollos. Also gingen wir auf die Suche nach Rennpferden, die etwas kleiner und kompakter waren, vielleicht Probleme in der Startmaschine hatten, daher günstig zu erwerben waren und sich für ein entsprechendes Polotraining eigneten.

Wir fuhren auf unsere erste Rennpferde-Auktion, ohne die leiseste Ahnung zu haben, was uns erwartete. Wie kleine Kinder erforschten wir das Szenario. Auf diesem Terrain war ich absoluter Neuling. Wir standen bereit, hatten unsere Favoriten akribisch betrachtet, genau im Katalog angekreuzt und waren auf alles gefasst. Dann begann die Auktion. Wir hatten uns einen Budgetrahmen gesteckt und wussten, was wir wollten. Wir brauchten kein Pferd, das den Anforderungen des internationalen Rennsports gerecht wurde, sondern suchten nach einem Vertreter des kleineren, wendigeren Typs, der zum Polosport passte. Wir hatten unser Budget für dieses Pilotprojekt auf DM 5000 festgesetzt. Alles klar. Als das erste Pferd ins Auktionszelt geführt wurde, hüpfte mein Herz. Diese Stute musste es sein. Unbedingt. Nur die, genau die. Aber wir hatten sie nicht einmal im Katalog angekreuzt. Wir konnten doch nicht gleich beim ersten Pferd unsere ausgeklügelte Strategie über Bord werfen. Aber diese Stute, diese Stute. »Das ist genau das Gefährliche an Auktionen«, versuchte mein Begleiter mich zu bremsen. »Wir haben zehn andere angekreuzt, die nicht – auf keinen Fall gleich das erste Pferd nehmen.« Ich wollte dieses Pferd. »Wir müssen sie bei der Auswahl übersehen haben, das kann doch nicht sein« und so weiter und so fort. Wir besprachen die Situation, ich gab schließlich auf und hatte ein Einsehen. Für 3000 Mark wechselte die Stute schließlich den Besitzer.

Die Auktion ging weiter, und nach und nach kamen alle von uns angekreuzten Pferde für astronomische Preise unter den Hammer. 30000, 80000, 100000 Mark – völlig außerhalb unseres finanziellen Rahmens. Wir kauften letztendlich gar kein Pferd. Was für eine Enttäuschung! Die erste Stute wäre genau richtig gewesen. Der Käufer, ein großer, arroganter Herr mit Hut und Zigarre, hatte über 30 Pferde ersteigert, ein regelrechter Großeinkauf. Ich ließ ihn nicht aus den Augen und folgte ihm nach der Auktion. Er atmete gerade eine weiße Zigarrenwolke aus, als ich mich schüchtern von hinten näherte. Alles kam mir vor wie eine Filmszene, ich fühlte mich wie ein kleines Mädchen – und sprach ihn an.

»Entschuldigung«, sagte ich ganz kleinlaut. Ich war wieder 13 Jahre alt, und es ging um mein Pony. »Sie haben doch dieses erste Pferd gekauft.« Ob er sich bitte bei mir melden könne, wenn er besagte Stute eines Tages wieder verkaufen wolle. Er sah mich nicht an, hörte kaum zu, brummte etwas. Ich schob ihm meine Visitenkarte in die Jackentasche und verabschiedete mich, trübselig und maßlos enttäuscht.

Zwei Tage später klingelte das Telefon. Es war jener Herr. Er war wütend, mehr noch, außer sich vor Zorn. »Sie haben 24 Stunden Zeit, den Gaul abzuholen. Sonst ist er in der Wurst.« Ich jubelte. Wir machten uns sofort auf den Weg nach Köln. Wenige Stunden später stand Tiranja auf unserem Hänger. Ich war stolze Rennpferdbesitzerin.

Die Stute war durch ihr problematisches Verhalten in der Startmaschine auffällig geworden, mehrere Menschen waren bereits verletzt worden, und so hatte man sie aus dem Rennsport verbannt. Aber Tiranja, abstammend von Perceive of Arrogance aus der Mutter Toranja, hatte eine hervorragende Abstammung und gutes Potenzial – auch für den Rennsport. Sie wäre wohl kein Superstar geworden, hätte aber sicherlich vorn mitlaufen können.

Wir trainierten die Stute in den folgenden Monaten für den Polosport um und fingen an, zu spielen. Sie machte sich ausgezeichnet und wurde gleich in der nächsten Saison »Best playing pony« unter meinem Partner. Wir führten das nicht zuletzt auf die Abstammung zurück und fingen an, Geschwisterpferde zu suchen. Wir fanden auch den Vater, Perceive of Arrogance, der zu dem Zeitpunkt in Norddeutschland aufgestallt war. Wir schauten uns den Hengst an und erfuhren, dass Tiranja noch zwei Vollgeschwister hatte. Einen Bruder und eine Schwester. Die unangerittene Vollschwester Topsy kauften wir als Jährling; sie wurde später mein erster Starter nach den Methoden von Monty Roberts.

Als ich anfing, Tiranja zu trainieren, gab es immer wieder Situationen, in denen ich dachte, man müsste einfach noch mehr über das Training von Pferden wissen, noch tiefer in diese Materie einsteigen. Mein Interesse wurde in einer bislang unbekannten Dimension in eine bestimmte Richtung gelenkt. Woher rührte das Verhalten, das die sonst umgängliche Stute in der Startmaschine zeigte? Warum war sie aus dem Rennsport verbannt worden? Welche Reaktionsschemata wiederholten sich, und welche Hintergründe hatten sie? Ich fing an, eigene Verhaltensstudien zu machen, suchte nach Antworten, die ich nicht fand. Auch nicht in der Literatur oder in der klassischen Reiterei. Ich lief ins Nichts.

Dann schenkte mir mein Freund eines Tages das Buch von Monty Roberts, *Der mit den Pferden spricht* (1997). Ich war fassungslos, verschlang das Buch, arbeitete es durch und unterstrich unzählige Sätze. Gleichzeitig war ich aber auch skeptisch. Der Film *Der Pferdeflüsterer* kam 1998 in die Kinos und wurde ein Publikumsschlager. Überall las man auf einmal von echten und falschen, neuen und alten Pferdeflüsterern. Eine Modeerscheinung, die mir nicht geheuer war. Andererseits machte sie Monty Roberts in Deutschland bekannt. Später legte er Wert darauf, dass der Film zwar Parallelen zu seiner Arbeit aufweist, am Ende jedoch nicht konsequent für den gewaltfreien Umgang mit Pferden eintritt.

Trotz des Wirbels um Monty Roberts' Person gingen mir einzelne Kernsätze aus seinem Buch einfach nicht mehr aus dem Kopf. Wieder und wieder dachte ich darüber nach und wurde immer sicherer, dass noch ein Vielfaches mehr dahinter steckte, als ich zu diesem Zeitpunkt ahnte und erfassen konnte. Diese Gedanken ließen mich nicht mehr los.

Kalifornien, erster Teil

Einige Monate später machte ich mich mit meinem Freund auf den Weg nach Kalifornien. Ich musste wissen, was wirklich dahinter steckte. Auf Monty Roberts' Flag Is Up Farms gab Crawford Hall, einer seiner engsten Vertrauten, im Dezember 1999 den ersten Kurs über die Erkenntnisse und die Lehre des legendären Pferdemannes. Monty Roberts selbst ist nur wenige Wochen im Jahr auf seiner Farm. Er verbringt die meiste Zeit mit Arbeiten in Trainingsstallungen weltweit und auf Tourneen, die der Demonstration seiner Erkenntnisse dienen. Es vergeht kaum ein Tag, an dem er sich nicht unermüdlich für die gewaltfreie Arbeit mit Pferden einsetzt.

Crawford Hall sitzt im Rollstuhl; er ist ab dem zweiten Halswirbel querschnittgelähmt und dennoch ein echter Cowboy. Ein faszinierender Mensch. 27 Jahre war Crawford Hall Monty Roberts' Farmmanager. Er hat zu Papier gebracht und psychologisch analysiert, was Monty Roberts mit den Pferden umsetzt. Im Rollstuhl sitzend, vermittelte Crawford Hall die eindrucksvollsten Informationen über das Wesen der Pferde, die ich je gehört hatte.

Meine Englischkenntnisse waren zu dem Zeitpunkt eher durchschnittlich, was Pferdevokabular und Fachtermini anbelangte. Dementsprechend verstand ich natürlich nur die Hälfte. Aber trotzdem. Zum ersten Mal in meinem Leben stand ein Pferdemann vor mir, den ich fragen konnte, was ich wollte – und er hatte auf alles eine Antwort. Durchsichtig, einfach, logisch.

Antworten auf Fragen über so elementar wichtige Dinge in der Neuroanatomie, im Verhalten, Drucksyndrom, Gehirnhälften und so weiter. Auf einmal bekam ich ein ganz neues Bewusstsein davon, was eigentlich problematisches Verhalten bei einem Pferd hervorruft, was es bedeutet und wie man Probleme lösen kann. Ich fand das alles unglaublich. Als ich dann das erste JOIN-UP machte, überwältigte mich das Gefühl der Vertrautheit. Ganz früher bei meinem ersten Pferd, dem Pony Dominik, hatte ich etwas Ähnliches erlebt, seitdem nicht mehr. Plötzlich hatte ich das Gefühl, dass meine Signale das Pferd in seiner Welt erreichten und dass die Barriere, die uns trennte, schwand. Das Pferd suchte meine Nähe. Es wollte lieber bei mir sein als entfernt von mir.

Im JOIN-UP erreichte ich eine Ebene, auf der ich eine enge Seelenverwandtschaft mit dem Pferd fühlte. Eine ungeahnte Nähe, in der ich für das Pferd und das Pferd für mich spürbar und vorhersehbar wurde. Eine aufrichtige, gegenseitige Partnerschaft. All das hatte nicht das Geringste mit einer Kinder- und Teenagerliebe zu Pferden zu tun, sondern ich spürte deutlich: Auf diesem Weg erreiche ich etwas Neues. Es eröffnete sich mir eine Erfahrungswelt, die ich in fast 30 Jahren Arbeit mit Pferden noch nie hatte betreten können. Und die Methoden waren lern- und lehrbar. All diese Eindrücke und Erfahrungen bewegten mich zutiefst. Warum wusste die Welt nichts davon? Wenn es diese Möglichkeit der vertrauensbildenden Maßnahmen, die Monty

Roberts JOIN-UP nennt, wirklich gab, warum nutzten die Menschen sie nicht? Warum hatten all die Pferdeprofis und -kenner keine Ahnung davon? Ein einziger Gedanke nahm mich in dieser Sekunde vollständig ein: Ich muss mir all das Wissen einprägen und es weitergeben. Wenn ich dieses tiefe Verständnis und die Methodik nach Deutschland bringe, wird sich der Pferdewelt eine neue Dimension eröffnen.

Kurz darauf hatte ich ein kleines Schlüsselerlebnis mit Monty Roberts, der sich zu der Zeit zufällig auf Flag Is Up Farms aufhielt. Der Meister persönlich erschien zu einer Stallführung. Hier hingen die Plaketten all seiner Hengste an der Wand, deren Erfolge er uns kurz erläuterte. Ich stand ein bisschen abseits. Monty Roberts als Person interessierte mich zunächst nicht weiter. Ich hatte keine besondere Ehrfurcht vor seiner Berühmtheit, war nicht auf ein Autogramm und ein Foto aus und wollte mich nicht brüsten mit »Ich war da«. Mir kam es in erster Linie auf die Inhalte seiner Methoden an. Die anderen hatten vor allem Augen für Monty Roberts selbst, eine lebende Legende. So weit war ich noch lange nicht. Roberts als Superstar, als Mythos hatte ich nicht ansatzweise erfasst. Ich verhielt mich also ganz normal, ein bisschen unbeteiligt vielleicht.

Während Monty erzählte, betrachtete ich die Plaketten an der Wand, auf denen die Namen seiner Pferde standen. Plötzlich schrie ich mitten hinein in die Erzählungen des Meisters: »Perceive of Arrogance!« Von allen Seiten erntete ich strafende Blicke wegen dieser unhöflichen Unterbrechung. »Perceive of Arrogance, ich habe ein Pferd von Perceive of Arrogance.« Schließlich handelte es sich hier um den Vater meiner Stute Tiranja, dessen Vollschwester Topsy wir ebenfalls gekauft hatten. Monty war überrascht und begeistert. »Was, wirklich?« Ja, er habe den Hengst in Deutschland aufgestallt. »Und wir haben ihn gesehen, recherchiert, die zweite Tochter gekauft.« Was für ein Zufall! Wir kamen ins Gespräch und fachsimpelten. Alle anderen Leute waren plötzlich vergessen.

Monty fragte nach, was denn mit Tiranja sei. Ich erklärte ihr aggressives Verhalten in der Startmaschine, sagte, dass ich hier sei, um mich fortzubilden und um die Schwester Topsy, wenn sie so weit wäre, richtig einreiten zu können. Ich redete weiter, dass ich von dem Wissen, das auf Flag Is Up Farms vermittelt wurde, absolut überwältigt sei. Kein Mensch in Deutschland wisse davon, niemand gehe so vor. Ich wolle alles unbedingt lernen und nach Deutschland bringen und, und, und…

Meine Begeisterung kannte keine Grenzen. Monty erwiderte, ich könne ihm gern mitteilen, wie es mit Tiranja und Topsy laufe. Ich solle es einfach versuchen. Und in einem Nebensatz fügte er hinzu: »Wenn du wirklich lernen willst, komm hierher, wir bringen dir bei, was du wissen möchtest.« Natürlich wollte ich. Also kam ich wieder, um an dem im folgenden Jahr erstmals stattfindenden Einführungs- oder Introductory-Kurs teilzunehmen. Wir hatten Dezember. Im Februar wollte Monty Roberts auf Anraten von Crawford Hall damit beginnen, seine Lehre an Schüler weiterzugeben. Damit nichts davon verloren geht.

Okay, also bis Februar. Monty Roberts kennt unzählige Menschen, die wie ich Begeisterung für sein Wissen und seine Methoden verströmen. Die sagen, sie wollen unbedingt bei ihm lernen. Die meisten dieser Leute kommen erfahrungsgemäß nicht wieder, wenn es schwierig wird. Der Weg ist unbequem, teuer und fordert den ganzen Menschen inklusive seines Lebensumfeldes heraus. Du musst sehen, wie du lebst, wie du dich und den Kurs finanzierst. Du musst offen sein und bereit, hart zu arbeiten, um wirklich zu lernen.

Auch zu diesem Zeitpunkt war Monty Roberts für mich keine Ikone, keine Autorität, der man blind hinterherläuft. Es war mehr das sichere Gefühl, es gebe hier etwas ganz Entscheidendes zu lernen, das mich zu ihm hinzog. Nicht Monty Roberts hat mir gesagt, ich solle kommen, sondern mein erstes Pferd im Roundpen. Nachdem ich das erste JOIN-UP gemacht hatte, wusste ich mit zwingender Sicherheit: Das ist der richtige Weg. Monty Roberts als Person gegenüber war ich hingegen lange Zeit eher skeptisch.

Noch einige Jahre später, als ich auf Gestüt Fährhof bei Bremen dem dortigen Leiter der Trainingszentrale, Simon Stokes, beim Starten der Jährlinge assistieren durfte, meldeten sich diese Zweifel wieder. Außer Simon Stokes und dessen beiden Mitarbeitern waren nur Monty Roberts und ich dabei. Vier Wochen lang arbeiteten wir zusammen, ohne Zuschauer, ohne Journalisten und Kameras. Für mich war es eine Lernzeit, wie sie intensiver nicht hätte sein können. Ich ertappte mich bei dem Gedanken, dass wir nun sehen würden, ob er wirklich gewaltfrei ist – und bleibt, auch wenn es mal schwierig wird. So lange hielt sich die Skepsis. Aber hier gab es keinen doppelten Boden, Monty lebte sein Konzept.

Trotzdem war schon mein erster Besuch auf Flag Is Up Farms eine Erleuchtung. Was ich als Kind hunderttausendmal meinem Pony Dominik zugeflüstert hatte – »Warum kannst du bloß nicht sprechen?« –, erfüllte sich hier. Pferde haben ein Kommunikationssystem. Sie können sprechen. Es kommt allein darauf an, dass wir diese Sprache aufnehmen, verstehen und übersetzen. Und diese Gewissheit zu haben war fantastisch und bewegend zugleich.

Kalifornien, zweiter Teil

Ich flog nach dem ersten Fünftageskurs mit meinem damaligen Freund zurück nach Deutschland, doch schon zwei Monate später kam ich für weitere vier Wochen nach Kalifornien zurück. Der Introductory-Kurs begann. Hauptsächlich unterrichteten Crawford Hall und seine Assistentinnen. Seltsamerweise wurde mir schnell klar: Es war hervorragend, von Crawford Hall zu lernen – und nicht von Anfang an bei Monty Roberts persönlich.

Dieser großartige Mann widmete sich vor allem der Vorführung der Konzepte. Er war ein genialer Lehrer. Und ich wusste, ich konnte in diesem Moment gar nicht von Monty Roberts selbst lernen. Ich war noch längst nicht dazu bereit. Er weiß so viel, dass diese ersten, grundlegenden Schritte bei einem anderen Lehrer unbedingt notwendig waren, um überhaupt konstruktiv von ihm persönlich unterrichtet werden zu können. Ich musste erst einmal dahin kommen, überhaupt ein Gesprächspartner für ihn zu sein, dahin, dass er überhaupt mit mir reden konnte. Ich fühlte auf einmal ganz deutlich: Nach 25 Jahren Reiterei hatte ich scheinbar nicht die leiseste Ahnung von der Psychologie der Pferde. Und das, obwohl ich von wirklich guten Pferdeleuten gelernt, endlose Diskussionen geführt und sämtliche Fachliteratur gelesen hatte.

Ich fragte alles. Warum macht mein Pferd dies, und warum tut es das nicht? Warum hat es hier ohne sichtbaren Grund scheinbar Angst und bleibt in einer weitaus angespannteren Situation ganz gelassen? Ich erinnere mich an einen schweren Unfall bei einer Jagd. Das Pferd hatte den Sprung verweigert, war schwer gestürzt und dabei selbst ums Leben gekommen. Warum? Aus Angst? Aus Überforderung? Warum war es trotzdem gesprungen? War es überhaupt Angst? Oder ein strategisches Muster? Was unterschied diesen einen Sprung von all den anderen, die es ohne das kleinste Zögern überwunden hatte? Was bringt ein Pferd dazu, so oder anders zu reagieren?

Ein anderer dramatischer Fall, den ich nie vergessen werde: Während eines Turniers sehen wir alle von draußen zu. Ein Bekannter reitet den Sprung an, das Pferd springt ab, stürzt ganz unglücklich in den Sprung, überschlägt sich und überrollt den Reiter. Er ist seitdem querschnittgelähmt. Ich konnte einfach keinen Grund erkennen, warum das Pferd hätte zögern oder nicht richtig abspringen sollen. Es gab keinen Anhaltspunkt, und auch der Vergleich mit ähnlichen Situationen brachte keinen Aufschluss darüber, warum die Tragödie in diesem Moment unvermeidbar war und andere Pferde mit ganz ähnlichen Extremsituationen problemlos umgehen können. Es gab auf vieles einfach keine Antworten.

Trotzdem hörte ich nicht auf zu fragen. »Ach, die Kleine…«, hieß es dann. Ich wurde belächelt und ging den Menschen auf die Nerven. Natürlich wussten die alten Pferdeleute Dinge wie »Guck dem Pferd nicht in die Augen, wenn du auf die Weide gehst«. Klar, auch ich weiß das, seit ich zehn Jahre alt bin. Aber warum soll ich das nicht tun? Wenn genau diese Menschen heute von den Methoden von Monty Roberts hören, sagen sie: »Wir wussten schon immer, dass man Pferden nicht direkt in die Augen sehen soll.« Und warum nicht? »Sie gehen weg oder werden aggressiv.« Warum? Woher kommt das? »Das ist eben so.«

Monty Roberts konnte mir als Erster und Einziger erklären, warum. Er konnte mir zeigen, welche komplexen Naturgesetze hinter den Verhaltensmustern der Pferde stehen. Und er sagte nicht etwa bloß: »Schau einem Pferd nicht in die Augen.« Nein, er zeigte mir, wann ich Blickkontakt aufnehmen und wann ich die Augen abwenden sollte. Er sagte mir, warum. Er wusste, was all das bedeutet. Und er machte mir zum ersten Mal in all den Jahren klar, welche Fülle an nonverbaler Kommunikation hinter jedem Blick und hinter jeder Körpergeste steht.

Introductory-Kurs

In dem vierwöchigen Kurs auf Flag Is Up Farms in Kalifornien eröffnete sich mir ein neues Universum des Wissens. Crawford Hall, seine Assistentinnen und Veterinärmediziner wurden meine Lehrmeister. Ich achtete diesen Mann, diesen Cowboy im Rollstuhl, der sein schier grenzenloses Pferdewissen preisgab. Monty Roberts erschien hin und wieder, um mit einigen schwierigen Pferden zu arbeiten, und wir durften dann zusehen.

Einmal drängten sich rund 300 Zuschauer um das Roundpen. Monty begann, mit einem Pferd zu arbeiten. Neben dem Roundpen stand sein Pick-up, auf dem er immer die Sättel, Trensen und all das Equipment liegen hatte. Die Arbeit im Roundpen schritt voran, und ich sah, dass er für den nächsten Schritt den Steigbügelriemen brauchen würde. Das ist ein Lederriemen, mit dem wir bei der Doppellongenarbeit die Steigbügel fixieren, damit sie in der Bewegung des Pferdes nicht lose umherfliegen können. Ich wusste, er würde diesen Riemen gleich brauchen – aber es lag keiner neben ihm. Keiner seiner Assistenten machte Anstalten, etwas zu unternehmen. Also ging ich ganz ruhig zum Auto und holte diesen kleinen Riemen.

Leute, die seit Jahren an seiner Seite waren und mit ihm arbeiteten, standen dabei, aber keiner reagierte. Im Nachhinein denke ich, dass es frech von mir war, einfach zu handeln. Das war ganz sicher nicht meine Aufgabe. Ich war nur Zuschauerin, eine von vielen seiner Studenten, und hatte bis dato nicht mehr als einige Worte mit ihm gewechselt. Fest stand, er würde dieses Teil im nächsten Moment benötigen. Und so war es. Monty Roberts wandte sich an seine Mitarbeiter und sagte: »Könnte ich…« – in diesem Moment warf ich den Steigbügelriemen ins Roundpen. Roberts schaute hoch, sah mich, schaute noch mal und fragte grinsend: »Warum hast du so lange gebraucht?« Er machte einen Scherz daraus. Ich hatte begriffen. Ich verstand, was er tat. Ich wusste, welche Schritte als nächste folgen würden.

Später habe ich Monty Roberts einmal gefragt, warum er mich an seine Seite genommen hat. Ich glaube, das ist einzigartig. Es gibt anscheinend kaum jemanden auf der Welt, der so lange und intensiv von ihm ausgebildet wurde, von ihm gelernt und mit ihm gearbeitet hat. Monty antwortete mit einem Satz: »Es war die Art, wie du Fragen gestellt hast.«

Ich wollte lernen. Permanent analysierte ich meine Lehrer, hielt mich nie ohne Stift und Papier in ihrer Nähe auf und wertete Hunderte von Stunden an Videomaterial über Montys Arbeit aus. Ich sog dieses Wissen auf wie ein Schwamm. Immer wenn Monty Roberts etwas Wichtiges sagte, notierte ich es mir. Sobald ich auch nur eine Kleinigkeit nicht verstand, fragte ich nach. Zunächst versuchte ich immer, die Antworten allein zu finden. Wenn dies nicht gelang, formulierte ich eine Frage, die den Kern dessen traf, was mir unklar war. Auf den Punkt genau. Er wusste immer eine Antwort, die genauso präzise war wie die gestellte Frage.

Eine Woche nach der Begebenheit im Roundpen gab es eine Vorführung vor etwa 50 Zuschauern. Monty arbeitete mit einem Rennpferd an der Startmaschine. Plötzlich, wie aus dem Nichts heraus, sprang das Pferd aus der Maschine. Ein unvorhergesehenes Ereignis. Monty Roberts fragte ins Publikum: »Hat jemand eine Idee, warum das passiert ist?« Stille. Für mich war in diesem Moment völlig klar, was passiert war. Es lag an der Art und Weise, wie ein kleines Element an der Tür verschlossen worden war. Ich hielt mich zurück. Die Antwort war eindeutig, und sicherlich würde sich gleich jemand zu Wort melden.

Niemand sagte etwas. Fünfzig Leute dachten nach und konnten sich nicht erklären, was sie gerade gesehen hatten. Als Monty in meine Richtung schaute, antwortete ich: »Es war die Tür.« Der Assistent an der hinteren Tür der Startmaschine hatte sie dieses Mal anders als zuvor verschlossen. Der Helfer hatte die Reihenfolge verwechselt und die Tür andersherum zugemacht. Nicht die linke Seite zuerst, sondern die rechte. Das schien mir absolut logisch. Dieser Ablauf war neu für das Pferd, also reagierte es entsprechend. Jede Veränderung des Szenarios führt zu einer veränderten Reaktion beim Pferd. Das Training mit der einen Türseite muss genauso sorgfältig durchgeführt werden wie das mit der anderen. Was ein Pferd von links gesehen hat, sieht es von rechts zum ersten Mal, wenn man es dreht. Das liegt an der Neuroanatomie des Pferdes und hat zur Folge, dass man immer von beiden Seiten arbeiten muss.

Monty Roberts schaute mich einen Moment lang erstaunt an: »Sie haben Recht.« Dann erklärte er den Zuhörern – allesamt seine Studenten und Kursteilnehmer – im Detail, was warum passiert war. Als er nach der Vorführung zu seinem Pick-up ging, kam er auf mich zu und sagte: »Viele Leute beobachten – aber nur wenige können sehen.«

Mit gemischten Gefühlen blickte ich dem davonfahrenden Pick-up hinterher und dachte darüber nach, ob ich tatsächlich »sehen« konnte oder ob es ein Zufall gewesen war. Langsam schien ich mich dem Punkt zu nähern, von Monty Roberts persönlich zu lernen. Ich verstand immer häufiger, was er tat und warum. Ich begann, die Materie zu durchdringen und konnte die weiteren Schritte von Mal zu Mal besser vorhersehen. Das machte mich nicht sonderlich stolz, sondern ließ mich in seiner Gegenwart immer wieder in ungläubiges Staunen verfallen.

Zum Abschluss des Introductory-Kurses hatte jeder ein psychologisches Projekt auszuarbeiten und daraus eine kleine Studie zu entwickeln. Ich arbeitete über ein Rennpferd, das bei Monty Roberts im Training gewesen war: Usual Suspect – der Name des Pferdes war Programm. Der Wallach zeigte sich aggressiv, unkooperativ und extrem schwierig im Umgang. Ich beobachtete ihn beim Morgentraining, analysierte sein Verhalten und bewertete ihn unter verschiedenen Reitern.

Mit meiner Abschlussarbeit wollte ich untermauern, dass sich Pferde unter dem Einfluss unterschiedlicher Menschen auch entsprechend unterschiedlich verhalten. Ich wollte beweisen, dass die Lösung bei Problemverhalten im Menschen zu suchen ist, nicht im Pferd. Meine These bestätigte sich mehr als deutlich.

Jeder Trainingsschritt wurde untersucht und ausgewertet. Über diese Arbeit sagte Monty zu Crawford Hall: »Es ist unglaublich, wie und was sie sieht und erkennt. Ein unglaubliches Aufnehmen dessen, was tatsächlich passiert.«

Lernen bei Monty Roberts

Monty Roberts war direkt, und seine Lektionen kamen punktgenau. Nach meiner Grundausbildung und in den folgenden Jahren, in denen ich mit Monty arbeitete, war das Lernen für mich zu keinem Zeitpunkt beendet. Das ist es bis heute nicht, an keinem einzigen Tag. Auf einer großen Europa-Tournee passierte es, dass Monty mir ungehalten zurief, nachdem ich bereits 20 erfolgreiche JOIN-UPs bei der Pferdeauswahl gemacht hatte: »Andrea, du bist immer zwei Sekunden zu spät!« Zwei Sekunden. Wie nahe ich schon dran war, könnte man meinen. Wie weit ich noch entfernt bin, dachte ich tatsächlich. Niemals wäre ich ihm für eine solche Aussage böse gewesen. Es hätte keinen größeren Anreiz für mich geben können, noch besser zu werden, noch härter zu arbeiten und noch präziser zu analysieren. Und niemals hätte ich eine solche Bemerkung von ihm infrage gestellt, ohne am Pferd auszuprobieren, ob er Recht hatte.

Mir stand lebhaft vor Augen, wie viel mich von all dem trennte, was Monty Roberts konnte, wusste und tat. Ich musste diese zwei Sekunden schaffen. Nicht für den Lehrer oder für jemand anders, nur für das Pferd. Zwei Sekunden. Es ging in diesem Moment um nichts anderes als um die Partnerschaft und um den Trainingserfolg für jedes einzelne Pferd. Und wenn ich hier gut sein und bestehen wollte, musste ich mich eben um zwei Sekunden verbessern.

Pferde haben eine optimale Reaktionszeit von maximal drei Sekunden. Möchte man ein Pferd also disziplinieren oder belohnen, muss die Reaktion innerhalb dieser Zeitspanne erfolgen. Je näher wir der optimalen Reaktionszeit kommen, desto verständlicher fürs Pferd. Wenn mir Monty Roberts sagt, ich sei zwei Sekunden zu spät, heißt das für mich, ich treffe den Kommunikationspunkt nicht optimal. Also schlucken – und schneller werden: erst eine halbe, dann eine und schließlich zwei Sekunden.

Auch Crawford Hall hatte einen ganz eigenen Stil des Unterrichtens. Er konnte den Menschen dort abholen, wo er gerade war. Mit seinem brillanten Verstand äußerte er sich psychologisch messerscharf, klar und immer freundlich. Als sich die vier Wochen auf Flag Is Up Farms dem Ende zuneigten, begann ich, ein anderer Mensch zu werden. Ich wollte bleiben, wollte weitermachen, wollte lernen. Nur eines wollte ich nicht: zurück nach Deutschland. Ich hing Crawford Hall am Rollstuhlrad und bat ihn, bleiben zu dürfen. Nie hatte ich gern vor ihm gestanden. Er sitzt – also hatte auch ich mich immer gesetzt. Ich liebte es, ihm in einiger Distanz im Schneidersitz gegenüberzusitzen, wenn wir sprachen. Nun hing ich an seinem Rad.

»Ich kann nicht zurück. Schickt mich nicht weg. Hier ist das Lernen. Nur hier. Und nur hier sind die Menschen, von denen ich lernen will.« Ich hatte zu Hause niemanden, bei dem ich Antworten auf meine Fragen fand, niemanden, mit dem ich all das teilen konnte, was mich bewegte. »Ihr müsst mich hier behalten. Bitte, schickt mich nicht weg.« Es war zwecklos, es gab keinen weiterführenden Kurs. Als Fortsetzung war eine zehnmonatige »Praktikumszeit« vorgesehen, in der die Absolventen des Introductory-Kurses zu Hause Pferde trainieren, Videoanalysen ihrer Arbeit anfertigen und eigene Erfahrungen sammeln sollten. Ich ließ nicht locker.

Crawford Hall lachte und ruckte mit seinem elektrischen Rollstuhl vor und zurück, damit ich endlich meine Hand von seinem Rollstuhlrad nähme. Er lachte und rief: »Geh schon! Ich will, dass du nach Hause gehst und lernst – üben, üben, üben. Geh nach Hause und lern weiter.« Ich hatte keine Alternative.

Kurz darauf, es waren noch drei Tage bis zum Rückflug, rief mich Monty Roberts in sein privates Wohnhaus, das auf einem Hügel über der Farm thront. Er hatte jemanden unten angerufen und mich hinaufschicken lassen. Niemals zuvor war ich in das Privathaus gerufen worden. Ich hatte nicht die leiseste Ahnung, worum es gehen könnte. Monty und seine Frau Pat standen in der Küche. Wir gingen ins Wohnzimmer. »Setz dich«, sagte er. »Wenn du wirklich willst, nehme ich dich an meine Seite und bilde dich aus. Es wird hart, teuer und anstrengend. Ich werde dir helfen, besser zu werden. Und ich sage dir, du kannst lernen, wie man mit Pferden arbeitet.« Monty sagte, ich könne wiederkommen, aber ich solle auch lernen zu unterrichten. »Das wirkliche Lernen beginnt, wenn du anfängst zu lehren.« Da saß ich nun im Wohnzimmer des berühmten Pferdeflüsterers mit einer Aussicht auf die Zukunft, die mir ganz und gar nicht behagte.

Verzweifelt schaute ich Monty an. Ich wollte Pferde trainieren, mit Pferden arbeiten. Und endlich diese Menschen hinter mir lassen, die uns verurteilten. Um keinen Preis wollte ich mich weiter mit ihnen auseinander setzen. Noch heute höre ich mich flüstern: »Aber ich will mit Pferden arbeiten.« Ein mildes, weiches Lächeln erschien auf Montys Gesicht: »Das wirst du. Mach dir keine Sorgen, das wirst du. Du wirst mit Pferden arbeiten, aber auch mit Menschen.« Ich zögerte, verstand nicht. Er wollte, dass ich lernte zu unterrichten. In der Arbeit am Pferd war ich auf einem guten und vorzeigbaren Niveau ausgebildet. Nun wollte er, dass ich unterrichte.

Obwohl meine eigene Studie über Usual Suspect gezeigt hatte, wie wichtig die Rolle des Menschen für das Verhalten des Pferdes ist, konnte ich mich mit diesem Gedanken nur schwer anfreunden.

Vielleicht lag damals eine meiner größten Stärken darin, die meisten Entscheidungen von Monty Roberts zu akzeptieren. Wenn sie mit meiner Meinung nicht übereinstimmten, wägte ich zwar kritisch ab, folgte aber dennoch im Allgemeinen seinem Rat. Viel später, als ich meine eigenen Erfahrungen gesammelt hatte, mich sicherer fühlte und immer mehr lernte, betrachtete ich einzelne Ratschläge mit einer gewissen Skepsis. Aber verworfen habe ich sie nicht. Wie wäre meine Geschichte sonst wohl weitergegangen? Dass ich eines Tages ausgerechnet für diesen Ratschlag dankbar sein würde, konnte ich zu dem Zeitpunkt nicht ahnen.

Zunächst jedoch saß ich auf dem kalten Ledersofa in Monty Roberts' Wohnzimmer, und es fröstelte mich von innen heraus. Unterrichten. Menschen. Dabei hatte ich gedacht, ich hätte endlich die Welt da draußen erfolgreich hinter mir gelassen. Oder entzog ich mich nur der Wahrheit? War es eine Flucht in die Welt der Pferde und vor der Welt der Menschen? War ich nur deshalb weggegangen, weil ich mich so sehr nach einem Leben ohne jegliche Gewalt sehnte? Was ich hier bekam, war eine Chance. Nicht mehr, aber auch nicht weniger. Jäh riss es mich aus meinen Gedanken. »Das wirkliche Lernen beginnt mit dem Lehren«, hallte es in mir wider, immer von neuem, bis zum heutigen Tag. Ich hatte das Wissen des Pferdeflüsterers im Herzen, wollte weiter lernen – und zu lehren beginnen.

Schritt für Schritt bereitete Monty Roberts mir den Weg zu meinem heutigen Wissen. Er wusste immer genau, wo ich stand, was psychologisch die nächste Hürde war und was ich in welchem Stadium der Ausbildung leisten konnte. Er forderte und förderte mich. Er kritisierte, setzte mich unter produktiven Druck und sorgte dafür, dass ich die nächsten Lernerfahrungen aufgrund meines aktuellen Wissensstandes selbst machen konnte. Ein wahrer Meister in der Kunst, den Schüler aus sich selbst heraus zum Erfolg zu führen.

Natürlich gab es auch Situationen, in denen er den Bogen überspannte, lautstarke Auseinandersetzungen mit Tränen und voller Verzweiflung. Ich erinnere mich an eine Szene in einem Hotel im Jahr 2001: Wir hatten unterschiedliche Auffassungen über den Umgang mit althergebrachten Methoden. Ich wollte das Streitgespräch beenden und sagte, dass ich keine Lust mehr hätte, mich andauernd gegen Angriffe von Leuten zu wehren, die unsere Konzepte ablehnten. Er konterte: »Wenn du jetzt wegläufst, wirst du in schwierigen Situationen immer weglaufen.« Ich blieb.

Rückkehr nach Deutschland

Nach der Grundausbildung bei Monty Roberts Anfang des Jahres 2000 erlebte ich die Rückkehr nach Deutschland und die folgende Zeit als Härtetest. Eines stand für mich fest: Ich würde nach Kalifornien zurückkehren und mein Wissen weiter ausbauen. Die meisten aus meinem Umfeld rieten davon ab, viele nannten mich eine unzumutbare »Spinnerin«. Meine Firma musste mit meiner häufigen Abwesenheit zurechtkommen, mein Banker lachte schallend, als ich ihm verkündete: »Ich werde Pferdeflüsterin!« Aber er erhöhte die Kreditlinie.

Mehr und mehr kam ich zu der Überzeugung, dass es nicht entscheidend ist, was jemand sagt, sondern was er tut. Dazwischen liegen häufig Welten. Dies ist eine der grundlegenden Tatsachen, die mir die Pferde beigebracht haben. Nach und nach wurde mir auch bewusst, dass es tatsächlich eine erlernbare Methodik im gewaltfreien Umgang mit Pferden gibt. Ein Werkzeug, nach dem ich immer gesucht hatte und das nur funktioniert, wenn innen und außen übereinstimmen.

Pferde sind Tiere der Tat. Sie nehmen uns ausschließlich für das, was wir tun, nicht für das, was wir sind. Und schon gar nicht für das, was wir sagen. Wir können ihnen nichts vormachen. Wir können nicht so tun als ob. Mir wurde immer klarer, dass mein Erfolg davon abhing, ob es mir gelänge, meinen Geist und meinen Körper in Einklang zu bringen.

Ich musste das, was ich theoretisch verstanden hatte, auch umsetzen können: geringe Pulsfrequenz, schnelles Reaktionsvermögen, nur dann mit dem Pferd Auge in Auge sein, wenn es weggehen soll. Pferde wissen, ob wir authentisch sind. Ich kann nicht einfach so tun, als sei ich nicht aufgeregt. Ein Pferd weiß es und reagiert, auch wenn ich noch so bemüht bin, meine Aufregung vor ihm und mir selbst zu verbergen.

Zunächst war ich voller Euphorie gewesen, bereit, mein neu erworbenes Wissen mit jedem zu teilen. Doch ich fand mich auf einem Jahrmarkt der Eitelkeiten wieder. Ich war nach wie vor sicher, dass der einzige Grund, warum wir in Deutschland in vielen Situationen noch immer Pferde mit der Peitsche schlagen und ihnen die Sporen in die Rippen treten, die Nasenbremse anwenden, ihnen die Ohren umdrehen oder sie fixieren, darin bestand, dass wir keine Alternative sahen. Ich war felsenfest davon überzeugt, dass wir das nur machten, weil wir nicht wussten, wie wir dem Pferd sonst Informationen vermitteln sollten. Wir kannten es nicht anders.

Ich erwartete, dass die Menschen sich vor Glück überschlagen würden, wenn ich nun allen die wunderbaren Antworten auf meine Fragen aus der Kindheit mitteilen könnte. All die grausamen und gewalttätigen Situationen, deren Bilder sich in meinen Kopf gebrannt hatten, brauchten sich nie mehr zu wiederholen.

Die Bilder von einem Pferd, dem ein Schmied seine Hufraspel in den Bauch schlug, weil es nicht still stand, und dem diese Feile im Bauch stecken blieb. Der Hengst, dem jemand mit dem Steiggebiss beim Deckakt

die Zunge durchtrennt hatte. Die argentinischen Polopferde mit den unzähligen Narben an den Beinen, weil
sie sich aus den Fesseln, die sie beim Einreiten trugen,
nicht befreien konnten. Die Springpferde, denen beim
Barren die Stange zwischen die Beine geworfen wurde,
sodass sie halsbrecherisch in die Kombination stürzten.
Die Pferde, die nie eine Chance hatten, weil man sagte,
sie seien dumm. Die Pferde, die eine Mistforke in der
Hinterhand stecken hatten, weil sie nicht in eine Waschbox oder den Hänger gehen wollten. Die Pferde, die in
der Dressur über scharfe Gebisse gehalten werden, während ihnen die Bahnpeitsche zwischen die Beine knallt,
damit sie auf der Stelle traben.

Wir können nicht wieder gutmachen, was wir ange-
richtet haben. Aber wir können es von nun an anders
machen. Daran glaubte ich. Bei meiner Rückkehr nach
Deutschland erwartete ich, dass alle sagen würden: Es
ist vorbei, jetzt wissen wir es, jetzt können wir es besser
machen. Pferde haben ein Kommunikationssystem, das
ihnen hilft zu überleben. Wir müssen nur noch lernen,
ihnen zuzuhören, und haben damit erstmalig in der Geschichte zwischen Mensch und Tier Möglichkeiten,
von denen wir zuvor niemals zu träumen gewagt hätten.

Die Ernüchterung folgte rasch. Viele Menschen äu-
ßerten sich negativ über Monty Roberts. Sie waren
misstrauisch und übten sogar heftig Kritik an ihm und
seiner Arbeit. Ich weiß, dass ihn das tief verletzte. Sie
versuchten erst gar nicht, ihn zu verstehen oder der Sache auf den Grund zu gehen. Es war mir ein Rätsel, warum Menschen verurteilten, was jemand aus seinem
Leben berichtete und der Welt mitteilte. Sie wollten
richten, ohne jedoch den Mut zu haben, Monty Roberts

direkt und offen anzuklagen. Schließlich hätten sie sich dabei womöglich selbst geschadet.

Es lebt sich leicht in der Überzeugung, keine Gewalt auszuüben, wenn man neue wissenschaftliche Erkenntnisse darüber, was ein Akt der Gewalt ist, einfach ignoriert. Wäre die Erkenntnis, dass ein Peitschenhieb in die Flanke oder zwischen die Beine des Pferdes realen Schmerz verursacht oder sogar unnötig ist, vielleicht gar nicht zu ertragen? Ist es nicht einfacher, Peitsche und Sporen mit der reinen Signalwirkung zu entschuldigen?

Wenn das Gegenüber seine Form der Kommunikation nicht annimmt oder annehmen kann, beendet der Mensch den Dialog. Dann bricht die Gewalt durch. Menschen, die so mit Pferden umgehen, leben in einer Erfahrungswelt, die mir völlig fremd ist.

Ich hatte längst eine andere Welt betreten, mir mein eigenes Universum geschaffen. Zufällig sah ich auf einem Turnierplatz ein Pferd, das ich erfolgreich trainiert hatte. Hemmungslos prügelte der Reiter auf das Tier ein. Tiefe Trauer und Wut ergriffen mich. Nichts von all dem, was ich zu vermitteln versucht hatte, nichts von dem, was mir so am Herzen lag, war verstanden worden: angefangen bei einem ruhigen Puls und einem niedrigen Adrenalinspiegel über das sanfte Loben, also Streicheln, zwischen den Augen, das gleichwertige Partnerschaftsverhältnis und das Verständnis bis zu der Philosophie der kleinen Schritte und der Ruhe rund um das Pferd.

Zurück blieb bei mir ein Gefühl von Ohnmacht, eine unbeschreibliche Trauer und Erbitterung über jene, die sich hartnäckig weigerten, meine Erkenntnisse zu teilen und mich auf meiner Reise auf diese neue Ebene der Kommunikation zu begleiten.

Einen Moment lang versuchte ich, die Pferde mit den Augen dieser Menschen zu sehen: als unkooperative Tiere, dumme Wesen, sture Böcke, dominante und aggressive Gäule, die sich dem Menschen widersetzen und die immer gesagt bekommen müssen, wo es langgeht – »sonst tanzen sie einem auf der Nase herum«. Ich versuchte mich an ihrer Sicht der Dinge, strengte mich an, um ihre Machtlosigkeit und Verzweiflung, ihren gekränkten Stolz und ihre Ohnmacht zu fühlen. Und vielleicht war es genau dieser Moment, in dem ich begann, ihnen zu vergeben. Ich begriff, dass ich sie nicht nur verurteilen durfte, sondern ihnen auch helfen musste, das zu sehen, was ich sah. Ich lernte, das Verhalten anderer Personen nicht allein von meiner moralischen und ethischen Warte aus zu beurteilen.

Und doch bleibt eine Wahrheit bestehen: Jedes gewaltsame Handeln, jeder Hieb, jeder Schlag und jeder Schrei hinterlassen Spuren in der Seele des Pferdes. Jeder Peitschenhieb ist ein Akt der Gewalt. Und kein Argument – es werde noch so gern und oft bemüht – kann davon überzeugen, dass es sich beim Schlagen mit der Peitsche nur um ein Signal handele.

Sicher gibt es Menschen, die es verstehen, die Peitsche nur symbolisch einzusetzen. Aber sie bilden leider die Ausnahme. Jedes Stück Material in der Pferdewirtschaft ist nur so wertvoll wie die Hände, die es halten. Pferde können sprechen. Wir müssen nur lernen, ihnen zuzuhören und ihre Signale wahrzunehmen.

Verloren zwischen den Welten

In den zehn Monaten, in denen ich zu Hause in Deutschland Feldarbeit betreiben sollte, und auch später, war ich nie wirklich getrennt von Monty Roberts. Früher als gedacht, trafen wir uns wieder.

Während ich zusammen mit meinem Partner den Polostall weiter aufbaute, begann ich, Pferde nach Monty Roberts' Methoden zu trainieren. Probleme mit Pferden waren in meinem Umfeld an der Tagesordnung. Es fehlte also nicht an Kandidaten für mein Training.

Ein Polopferd zum Beispiel ging nicht auf den Lkw und wurde immer vom heimischen Stall aus auf die wenige Kilometer entfernte Poloanlage geritten. Der Pferdepfleger des Besitzers war ausgesprochen hart im Umgang mit den Pferden. Gewalt war normal, Schläge und ähnliche Maßnahmen waren nichts Außergewöhnliches. Ein Fall für mich: Ich wollte versuchen, dem Pferd die Angst vor dem Lkw zu nehmen. Ich wollte beweisen, dass die gewaltfreien Methoden richtig waren und vor allen Dingen – funktionierten. Und ich wollte demonstrieren, dass ich in Kalifornien etwas Großartiges gelernt hatte.

Besitzer und Pfleger stimmten nicht ohne ein amüsiertes Lächeln zu. Ich durfte es versuchen. Der Lkw war alt und klapprig, die Verladerampe ohne seitliche Abgrenzung so steil, dass ich schon als Mensch Angst bekam, als ich oben stand. Hier sollte ich also das Pferd hinaufführen.

Alle Zweibeiner versammelten sich im Halbkreis um den Lkw und schauten zu. Einige saßen auf der Motorhaube eines weißen VW Golf, in dem irgendjemand das Lied »She is a supergirl« in voller Lautstärke laufen ließ. Abfälliger Argwohn und hämisches Lachen lagen in der Luft. Wie konnte ich mir vor all diesen Pferdeleuten anmaßen, etwas besser zu wissen und sie belehren zu wollen?

Bevor ich in die USA ging, war ich in Deutschland eine voll akzeptierte Pferdefrau gewesen – und das bereits als junges Mädchen. Ich wurde regelmäßig zu Jagden eingeladen, spielte später Polo und genoss im großen Ganzen die Anerkennung der Reiterkollegen. Dann ging ich nach Kalifornien, um dort zu studieren. Als ich wiederkam, war alles anders. Auf einmal hatte ich in den Augen derselben Leute keine Ahnung mehr, konnte nicht mehr reiten, war einfach nicht mehr die Pferdefrau von früher.

Mein Publikum lauerte förmlich auf einen Misserfolg. Ich konzentrierte mich. Wenn ich mit Pferden arbeite, schalte ich vollständig ab und vergesse alles um mich herum. Nichts ist mehr da – es gibt nur das Pferd und mich. Ich machte ein JOIN-UP, die Basis jedes Trainings. Ich versuchte, das Pferd zu fühlen, Kontakt herzustellen. Es funktionierte nicht. Der Wallach ging nicht auf den Lkw. Er setzte mit den Vorderhufen auf der Rampe auf und blieb stehen. Sie war einfach zu steil. In diesem Moment erkannte ich, dass ich gegen etwas ganz Fundamentales verstieß, vermutlich gegen irgendein natürliches Verhalten des Pferdes. Aber ich wusste nicht, was es war. Ich hielt inne und dachte nach. Vor allem durfte ich mich von den grinsenden Männern um mich herum nicht irritieren lassen.

Mit welchem Szenario haben wir es hier zu tun? Asphaltboden, Lärm, negative Atmosphäre, keinerlei Sicherheitsaspekte für das Pferd, keinerlei Sicherheitsaspekte für mich. Sollte das Pferd von dieser steilen Rampe stürzen, würde das mit Sicherheit einen schweren Unfall bedeuten. Die Folge dieser Unsicherheit war, dass auch ich nicht gelassen agieren konnte. Ich bat also darum, mir den Lkw auf einen nahe gelegenen Sandplatz zu fahren. Ich brauchte Sandboden. Die Freude meiner Beobachter angesichts des Misserfolgs hätte nicht größer sein können. Sie fühlten sich in ihrer Erwartung bestätigt und zogen davon.

Ich setzte die Verladeversuche auf dem Sandplatz fort. Nun standen dort nur noch der Pfleger Alfredo, eine weitere Pferdepflegerin und ich. Dreimal richtete ich das Pferd vor der Rampe vor und zurück – und der Wallach ging auf den Lkw. Ich war sprachlos. Hier hatten wir den Beweis: Es ist immer der Mensch, nie das Pferd. Wenn das Pferd nicht macht, wonach du fragst, verstößt du gegen irgendein Naturgesetz. Dieses Pferd hatte einfach Angst. In dieser bedrohlichen Situation mit all den argentinischen Pflegern, von denen es Gewalt gewohnt war, konnte es die angefragte Aktion – nämlich auf den Lkw gehen – einfach nicht ausführen. Seitdem ist der Wallach regelmäßig zum Training, zum High Goal, der höchsten Spielklasse, nach Sylt und sonst wohin gefahren. Verladeprobleme tauchten meines Wissens nie wieder auf. Ein Dankeschön von Pflegern oder Besitzer hat es nie gegeben.

Auch der nächste Fall ereignete sich im heimischen Polostall. Ein Pferd stand nicht für den Schmied. Die

Pfleger waren bereits im Einsatz. Einer drehte dem Pferd das Ohr um, die Nasenbremse saß, und ein dritter zückte schon die argentinische Lederpeitsche. Das Pferd hatte Striemen an den Beinen, und als ich durch die Tür kam, rammte der Schmied dem Pferd gerade brutal die Feile in den Bauch. Ich sah das Pferd, die offene Wunde am Bauch, die wütenden Männer – und war fassungslos. Alles in mir sträubte sich gegen diese Szene. Ich wurde wütend und tat das Falsche, indem ich die anderen kritisierte. Zur Antwort wurde ich nur belächelt. Aber eines wusste ich genau: Es geht auch ohne Gewaltanwendung.

Natürlich stand ich erst am Anfang meines Weges. Dennoch war mir klar, dass es eine echte Alternative zur Gewalt gibt. Warum solche Methoden gegen Pferde überhaupt auf dem Hof geduldet wurden, ist eine andere Frage. Fest steht, sie begegneten mir nahezu täglich in der einen oder anderen Form. Wieder und wieder schrie ich dagegen an und wurde mit der Zeit immer unbeliebter – und hilfloser. Niemand wollte etwas von gewaltfreiem Umgang mit Pferden wissen, niemand in diesem Umfeld war bereit zu lernen, niemand interessierte sich auch nur im Geringsten für das, was ich zu sagen hatte. Sehnsucht nach Amerika breitete sich in mir aus.

Am folgenden Tag – es ging wieder einmal um ein Pferd, das sich nicht verladen ließ – hatten sich die Pfleger schon ein bisschen zurückgezogen und versuchten nun im Schutz einer Hecke, das Problempferd zu bezwingen. Plötzlich sah ich das verschwitzte und blutende Hinterteil des Palominos. Der Pfleger kam mit dem völlig erschöpften und blutig geprügelten Pferd um die Ecke. Er würdigte mich keines Blickes. Im Vorübergehen schleuderte er mir den Halfterstrick entgegen und lachte höhnisch: »Hier, wieder was für dich.«

Meine Aufgabe war klar. Ich wollte ihnen zeigen, dass es anders funktioniert. Keiner hat das Recht, ein Lebewesen so zuzurichten. Für diese Überzeugung kämpfe ich. Also wusch ich den Palomino, versorgte die Striemen und ließ ihn im Paddock eine Stunde zur Ruhe kommen. Danach dauerte es nicht mal eine Minute, bis das Pferd auf den Hänger ging. Die Pfleger beobachteten die Szene, versteckt hinter einer Häuserecke. Eine völlig absurde Situation. Als das Pferd auf dem Anhänger stand, waren sie alle verschwunden.

Vorfälle dieser Art wiederholten sich. Ich begann mich unwohl und verloren zu fühlen unter diesen Menschen, denen ich in Konfliktsituationen argumentativ noch nicht gewachsen war. Meine psychologischen Kenntnisse waren zu wenig fundiert, als dass ich die Vorgänge hätte genau erklären können. Ich lief gegen eine Wand an, immer und immer wieder. Und obwohl meine Vorgehensweise Erfolg zeigte, erreichte ich doch bei den Menschen in meinem Umfeld nicht das Geringste. All das bewog mich schließlich, sowohl meinen Partner, in dem ich keine Unterstützung fand, als auch den Polostall zu verlassen. Ich spürte, dass ich mich unter diesen Bedingungen nicht weiterentwickeln konnte.

Wenigstens behielt ich weiterhin mein wichtigstes Ziel im Auge: Ich wollte den Pferden ihre Ängste nehmen, ob vor dem Anhänger, der Waschbox oder vor was auch immer. Wenn sie »funktionieren«, so meine Hoffnung, bleiben ihnen zumindest die drakonischen Strafen erspart. Je mehr ich wusste und lernte, umso schärfer wurde mein Gespür für Gewalt und aggressive Szenarien. Vorher hatte auch ich vieles nicht wahrgenommen, weil die Gewohnheit oft den Blick auf das verstellt, was eigentlich vor sich geht. Aber inzwischen war ich »aufgewacht« und beobachtete meine Umgebung mit wachsendem Unbehagen. Immer wieder kam es zu Diskussionen, und meine Argumente wurden besser, stichhaltiger. Dennoch fühlte ich ganz deutlich, dass ich die Menschen nicht in ihrem Innersten überzeugen konnte. Ich verstand es nicht, ihre Herzen für dieses neue Bewusstsein zu gewinnen.

Beim Abschied von Flag Is Up Farms hatte Monty Roberts mir gesagt, er wolle mich persönlich ausbilden. Es lag nun bei mir, den nächsten Schritt zu tun. Ich begann nach einem Weg zu suchen, um nach Kalifornien zurückzukehren.

Noch während des Introductory-Kurses hatte mich ein Freund angerufen und gebeten, für seine Frau ein Geburtstagsgeschenk zu organisieren: ein Wochenende mit Monty Roberts auf dem Gestüt der Familie in Bad Tölz. Ich sagte ihm meine Hilfe zu und stellte als einzige Bedingung, dabei sein zu dürfen. Er stimmte zu, beschwor mich aber, mich im Hintergrund zu halten. Schließlich sollte seine Frau im Mittelpunkt stehen.

Das Unterfangen war äußerst kostspielig, was ihn aber nicht weiter störte. Bald hatten wir die Einzelheiten geklärt. Ich besprach alles Notwendige mit Monty Roberts' Sohn Marty. Kurz nach meiner Rückkehr nach Deutschland war es dann so weit, und ich begleitete meine Freunde nach Bad Tölz.

Als Monty Roberts ankam, standen alle Anwesenden im Hof, um ihn zu begrüßen. Ich verhielt mich völlig unauffällig, um unsere Vereinbarung einzuhalten. Monty ging herum und gab jedem die Hand. Als ich an der Reihe war und er mich nicht erkannte, wunderte sich meine Freundin. Immerhin hatte ich das Treffen arrangiert, immerhin war ich eine seiner Studentinnen. Aber eben nur eine unter vielen. Mich traf es nicht weiter. Gestern USA, heute Bad Tölz. Vermutlich wusste er gar nicht, dass ich die Veranstaltung organisiert hatte. Mir ging es nur darum, ihn am Pferd in privater Atmosphäre arbeiten sehen zu dürfen, nicht um den prominenten Kontakt, nicht um den Namen.

Dann begann Monty Roberts mit der Arbeit im Roundpen. Beim JOIN-UP mit einem Starter stand ich zurückgezogen in einer Ecke und schaute zu. Ich verfolgte jede seiner Bewegungen, jeden Fingerzeig, seine Drehungen, die Geschwindigkeit seiner Augenbewegungen. Alles geschah fließend, und das Pferd reagierte wie jedes Pferd. Er drehte die Schulter weg, und das Pferd kam zu ihm: der Moment des JOIN-UP. Dieses Bild berührte mich zutiefst, und mir stiegen die Tränen in die Augen. Das passiert mir auch heute noch manchmal, wenn wir ein Pferd in seiner Welt erreichen. Plötzlich, mitten in der Bewegung, drehte sich Monty abrupt zu mir um und rief: »Jetzt weiß ich, wer du bist. Warum hast du nichts gesagt, Andrea?« Und zu den anderen gewandt: »Sie ist meine Studentin. Sie lernt bei mir in Kalifornien.«

Er kam auf mich zu und reichte mir noch einmal die Hand. Ich glaube, hier begann unsere Freundschaft. Bei den folgenden Pferden, mit denen er arbeitete, legte er großes Augenmerk auf seine Argumentation, seine Erklärungen. Ich spürte, dass viele Worte mir galten und dass er keine Gelegenheit versäumen wollte, mich weiterzubringen.

Später unterhielten wir uns lange. Über Pferde, über die Zukunft. Die nächste Deutschland-Tournee sollte in wenigen Wochen beginnen, und zum Abschied lud er mich ein, ihn zu begleiten. Ich musste nicht überlegen. Nach einem Zwischenaufenthalt zu Hause folgte ich Monty Roberts nach Kalifornien. Seine Frau Pat nahm mich auf wie eine Tochter. Ich gehörte praktisch zur Familie. War ich endlich angekommen?

»People don't react«

M onty Roberts' Aussage »Die Menschen reagieren
nicht« bot uns immer wieder Anlass für Gespräche, weil dieses Thema auch mich im tiefsten Innern
beschäftigte. Es bewegt mich bis heute. Im Umgang mit
Pferden, in gefährlichen Situationen, entscheidenden
Momenten oder Notfällen zeigt sich allzu häufig: Der
Mensch scheint darauf trainiert zu sein, nicht zu reagieren. Wie viele Male habe ich bei der Arbeit mit Pferden beobachten können, dass der Mensch sieht, was
passiert, aber reglos verharrt.

Ein gutes Beispiel hierfür liefert der Einsatz der
Gitterelemente beim Verladetraining. Im Training von
Pferden, die Probleme mit dem Verladen haben, erleich-
tern wir die Bewegung nach vorn durch den Einsatz so
genannter Gitterelemente, die hinter dem Pferd zusam-
mengestellt werden. Die Fluchtmöglichkeiten reduzie-
ren sich auf diese Weise, ein allzu weites Ausbrechen
nach hinten wird verhindert. Diese Methode dient vor
allem dazu, die Situation ruhig und den Adrenalinspiegel niedrig zu halten. Wir helfen dem Pferd, das Richtige zu tun, nämlich vorwärts auf den Anhänger zu gehen.

Insgesamt stehen dem Pferd sechs Richtungen offen,
in die es sich bewegen kann: oben und unten, links und
rechts sowie vorwärts und rückwärts. In dem Moment,

in dem wir durch den Einsatz der Gitterelemente die Richtungen rückwärts, links und rechts einschränken, kann sich das Pferd noch immer für eine der verbliebenen Richtungen entscheiden. Den Fluchtweg nach hinten zu verschließen und den Weg nach vorn anzubieten und zu vereinfachen heißt, das Pferd gefahrlos in den Hänger zu bringen und es in eine selbstmotivierte Entscheidungssituation zu versetzen. Das ist unsere Aufgabe.

Steht das Pferd also bereits ruhig an der Rampe, schließen die Helfer die Gitterelemente hinter dem Pferd. Das geschieht möglichst ruhig und dennoch zügig. Allzu oft habe ich erlebt, dass die Helfer, wenn das Pferd rückwärts weicht, hinter dem Pferd stehen bleiben und zuschauen, wie es sich nach hinten bewegt, bis eine Begrenzung durch die Gitter unmöglich geworden ist.

Durch das menschliche Unvermögen, auch in Notsituationen adäquat zu reagieren, können extrem schwierige Situationen mit Pferden entstehen. Eine von vielen negativen Begleiterscheinungen ist, dass eine extreme Unruhe aufkommt. Im richtigen Moment richtig und ruhig zu reagieren ist einer der schwierigsten Punkte, wenn man die Methode der gewaltfreien Kommunikation erlernen will. Es entspricht der menschlichen Natur eher, langsam zu reagieren, noch einmal abzuwägen und zu warten. Durch dieses Zögern entstehen wiederum Konflikte bei der Frage nach einem angemessenen Handlungsschema, nach der richtigen Reaktion. Das Pferd hingegen sucht sofortige Lösungen und reagiert innerhalb von Zehntelsekunden. Das stellt Menschen mitunter vor große Probleme.

Wolfgang Baitz beschreibt das Phänomen des Nichtreagierens in seinem Buch *Verloren im Labyrinth*?:9 »Normal bedeutet, innerhalb der Norm zu sein. Dieser Begriff wird für Menschen verwendet, die nicht entweder himmelhoch jauchzend oder zu Tode betrübt sind, Menschen, die gerne auf Nummer Sicher gehen, Menschen, die sich nicht einmischen, Menschen, die, zum Beispiel wenn eine Schlägerei passiert, weder eingreifen noch weglaufen, sondern zuschauen. Den ›Normalen‹ gibt es nicht. Der Ausdruck ist eine grobe Vereinfachung und schließt Hunderte von Mischformen in einer großen Bandbreite ein. Die Übergänge sind fließend.«

Das so genannte Normalsein, das Verhaltensmuster, nicht zu reagieren, wird Menschen anerzogen. Kinder zeigen diese Art des Nichtreagierens nicht. Sagt man zu einem Kind unvermittelt »Dreh dich um«, wird es sich auf der Stelle umdrehen, wenn es dazu fähig ist, und zwar, wenn es vertraut. Genau das ist beim Pferd auch der Fall. Es geht allein darum, sich ihm verständlich zu machen und angemessen schnell auf seine Gesten zu antworten. Nicht oder nicht rechtzeitig zu reagieren bedeutet eine Unterbrechung des Kommunikationsflusses, Missverständnisse sind die Folge. Viele Unfälle mit Pferden geschehen aus diesem Grund.

Es kommt mir vor, als würde unsere heutige Gesellschaft die Menschen eher zum Zuschauen als zum Reagieren anregen. Vielleicht stehe ich in dieser Hinsicht ebenfalls außerhalb der Norm. Deshalb war es für mich während des Trainings im Introductory-Kurs auch keine Frage, Monty den fehlenden Steigbügelriemen zuzuwerfen, obwohl er von seinen Assistenten umgeben war und ich ihn damals noch kaum kannte.

Tourneen

Während die großen Tourneen durch die USA und Kanada mit Monty Roberts' großem Bus stattfanden und meistens Familienmitglieder und Freunde mit an Bord waren, hatten die Touren durch Europa ihren ganz eigenen Charakter. Die Planung von wechselnden deutschen Tourmanagern war, um es mit Montys Worten auszudrücken, eine »katastrophale Unverschämtheit«. Auf unserer großen Tournee 2003 durch Deutschland, Österreich und die Schweiz waren beispielsweise 22 Veranstaltungen in drei Monaten so gelegt worden, dass wir nicht selten kreuz und quer durch das Land fahren mussten. Von Hamburg ging es nach Salzburg und anschließend nach Hannover. Nicht selten waren wir zehn Stunden und länger mit dem Auto unterwegs, nur zu zweit. Da blieb viel Zeit, um miteinander zu reden. Prägnante Erkenntnisse stammen aus diesen intensiven Gesprächen auf dem Weg von einer Veranstaltung zur nächsten. Wir diskutierten über jedes Pferd, über jeden Menschen und jeden einzelnen Gedanken. Eines zeichnete alle Gespräche aus – ein roter Faden, der sich durch die gesamte Zeit des Lernens und der Zusammenarbeit mit Monty Roberts zieht: Es gab keine Tabus. Ich konnte diesen Mann absolut alles fragen. Er wich nicht aus, lenkte nicht ab und kreiste nicht um eine unbestimmte Mitte.

In jeder Vorführung auf einer Tournee wird eine bestimmte Anzahl von Pferden vorgestellt, die wir kurz vorher ausgesucht haben. Da die Zeitspanne und die Möglichkeiten während einer Veranstaltung begrenzt sind, wählen wir Pferde aus, die ein konkretes Problem haben, aber ansonsten möglichst normal kommunizieren. Härtefälle wie komplexe Phobien zum Beispiel lassen sich innerhalb von 30 Minuten nicht nachhaltig therapieren. Deshalb geht es bei den Demonstrationen nur darum aufzuzeigen, wie das Problem gelöst werden kann. Um eine dauerhafte Besserung zu erzielen, brauchen die Pferde meist ein kontinuierliches Training über einen längeren Zeitraum hinweg.

Im Jahr 2001 hatte Monty Roberts auf der Pferdemesse Equitana in Essen täglich eine Vorstellung vor 10000 Zuschauern. Sein Assistent Jason Davis machte damals die Vorauswahl. Er begutachtete die Pferde kurz, bewegte sie ein bisschen im Roundpen, der Tierarzt überprüfte Zahnfreiheit und Gesundheitszustand, und Jason bewertete jedes einzelne mit einer bestimmten Punktzahl. Die ungefährlichsten Pferde bei einer solchen Vorauswahl sind die so genannten Verlader, also Pferde, die nicht auf den Anhänger gehen. Bei ihnen handelt es sich in den meisten Fällen um eingerittene Pferde, die sich in der Regel im Umgang unproblematisch präsentieren und mit der Weigerung, auf den Anhänger zu gehen, ein genau definiertes Problem zeigen.

Plötzlich drückte Jason mir beim letzten Verlader die Longe in die Hand und sagte: »Jetzt du.« Ich war wie vor den Kopf geschlagen, eine Woge Adrenalin brauste durch mich hindurch. Niemals. In dieser Umgebung. Vor den Augen von Monty Roberts und ein paar hundert Zuschauern, die bereits die Vorauswahl beobachteten.

Die Angst, mich zu blamieren, lähmte mich. Bis dahin hatte ich Monty fast immer nur zugesehen und selbst erst einige wenige Male gearbeitet, wenn nur er und wenige andere anwesend waren. Ich wehrte ab, genierte mich: »Nein, das kann ich nicht. Nein, nein.«

Monty Roberts, der am Rand saß, blickte unter seinem Cowboyhut hoch und fixierte mich mit strengem Blick. Ich sah Ernsthaftigkeit. Ich sah in seinen Augen die Frage: Du willst Pferde trainieren? Dann stell dich nicht an wie ein kleines Mädchen, sondern tu es auch. Ich tat es. Beim JOIN-UP konnte ich mich vor lauter Aufregung einfach nicht ruhig bewegen. Ich lief hin und her, rannte, konnte durch meine Körpersprache keine Gelassenheit vermitteln. Ich wollte unbedingt eine extrem gute Arbeit zeigen und vor den Augen des Meisters bestehen. Mit hohem Puls, rotem Kopf und rastlosem Ehrgeiz sprang ich um dieses kleine braun-weiße Shetlandpony herum. Das JOIN-UP klappte, mir fiel eine tonnenschwere Last vom Herzen. Ich wusste, dass ich zu unruhig gewesen war, aber ich hoffte, kein Außenstehender hatte es bemerkt.

Unendlich erleichtert schaute ich zu Monty Roberts, suchte seinen Blick, sein Urteil. Unterhalb des Cowboyhuts sah ich ein Kopfschütteln. Die Worte am Ausgang des Roundpen waren typisch für die direkte Art, wie er sich mitteilte. Einzelne Sätze, auf den Punkt gebracht, nicht mehr. »Andrea, hast du mich jemals in einem Roundpen herumrennen sehen?« Das war alles. Ich überlegte. Was sollte ich antworten? Natürlich hatte ich ihn nie so herumlaufen sehen. Niemals. »Nein«, sagte ich. Und ich wusste, es war noch sehr weit, bis ich auch nur in die Nähe dessen kommen würde, was dieser Mann kann.

Wenn ich ihn bei der Arbeit beobachtete, schrieb ich oft mit, notierte jede Handbewegung. Viele Pferde nahm ich mit der Kamera auf, um die Filme später für mich allein durchzugehen und zu analysieren. Wieder und wieder. Sätze von Crawford Hall kamen mir in Erinnerung. Sätze, die er mir auf Flag Is Up Farms eingetrichtert hatte. »Du musst dich bewegen wie in schwerem Öl. Langsam und geschmeidig.« Wie in schwerem Öl – nicht herumlaufen.

Der nächste Tag der Equitana kam. Ich wollte alles im Kopf haben, umsetzen, ausspielen, was ich gelernt hatte. Und es war nicht einmal sicher, ob sich dazu eine Gelegenheit bieten würde. Jason machte die Vorauswahl. Ich schwankte zwischen Weglaufen und Bleiben. Erst kommen die noch nicht eingerittenen Pferde, die Starter, danach die Kopfscheuen, Schläger oder Pferde mit ähnlichen Problemen. Anschließend begutachtet er die unreitbaren Pferde, die steigen, buckeln oder sich anderswie unreitbar unterm Sattel gebärden. Ganz am Schluss werden die Verlader ausgewählt. Ich wusste, dass er mir bestimmt wieder ein Pferd geben würde.

Seit dem frühen Morgen hatte ich unglaubliches Lampenfieber. Ich konnte nichts essen, war unruhig. Es ging bei alldem um nichts – und trotzdem. Diese Peinlichkeit des Lernprozesses, dieses unvollkommene Nachahmen – wie sehr musste das Monty Roberts langweilen. Ich hatte das Gefühl, einfach noch nicht so weit zu sein und den Ansprüchen, die dieses gewaltige Vorhaben an mich stellte, nicht gerecht werden zu können.

Jason Davis gab mir vier Verlader an diesem Tag. Ich machte die JOIN-UPs, bei denen die Kommunikation zwischen Mensch und Pferd zum ersten Mal angestoßen und die Vertrauensbasis für die weitere Arbeit geschaffen wird. Je länger ich im Roundpen stand, desto ruhiger wurde ich. Lampenfieber und Nervosität fielen langsam von mir ab. Alle Konzentration war auf das Pferd gerichtet. Ich sah nur das Pferd. Die Welt um uns herum verschwamm, versank, existierte nicht mehr. An diesem Tag sah ich keine Hand vor den Augen unter einem geschüttelten Cowboyhut. Trotzdem hätte ich Monty niemals nach einer Beurteilung gefragt. Kein negativer Kommentar von ihm bedeutete schon Fortschritt.

Erst drei Monate zuvor hatte ich in Kanada für Jason Davis zum ersten Mal das Halfter in der Box anlegen und das Pferd für Montys Arbeit im Roundpen bandagieren dürfen. Was in all den langen Jahren der Reiterei eine lächerliche Nebensächlichkeit gewesen war, über die man nicht den Bruchteil einer Sekunde nachdenkt, wurde auf einmal zu einem bedeutenden Puzzleteil eines großartigen Gesamtwerks. Ich fühlte Respekt und Demut vor dem Wissen und Können auf der einen Seite und auf der anderen eine unglaubliche Wertschätzung der Möglichkeit, dass ich dieses Wissen erwerben durfte.

Was die Arbeit am Pferd betraf, konnte ich mit Jason Davis auf eine Art kommunizieren, die mir viel näher und vertrauter war als die knappen Sätze aus dem Mund von Monty Roberts. Jason traute ich mich auch weniger wichtige Dinge zu fragen, konnte mich rückversichern, meine Nervosität äußern. Er half mir sehr, wieder Bodenhaftung zu bekommen. Jason war Assistent und Reiter von Monty. Ich wollte Assistentin von Jason sein. Ich durfte ein Pferd in der Box aufhalftern. Nichts auf der Welt war in diesem Moment wichtiger. Ich beobachtete auch Jason genau. Wann tat er was und warum?

Wenn er die Pferde zur Vorauswahl im Roundpen hatte, stand ich am Ausgang des Zirkels und ließ Pferd und Trainer nicht aus den Augen. Ein kurzer Blickkontakt mit ihm genügte, und ich wusste, was er brauchte, reichte ihm das Equipment ins Roundpen. Diese kleinen Momente, diese winzigen mir erlaubten Handgriffe waren für mich alles, was zählte. Ich durfte lernen. Und ich durfte Teil des großen Ganzen sein, ein Familienmitglied. Ich war mittendrin, zwischen Menschen, die mich verstanden.

Als wir im selben Jahr im kanadischen St.-Pete-Stadion zu Gast waren und mehr als 10000 Menschen von den ausverkauften Rängen herab der Monty-Roberts-Show entgegenfieberten, ließ Monty minutenlang seinen Blick andächtig und mit Tränen in den Augen über die Menge schweifen. Erst später, auf einer der stundenlangen Fahrten in unserem Tourbus, erfuhr ich, was ihn so bewegt, ja aus der Fassung gebracht hatte. Hier, in diesem Stadion, hatte er als 20-Jähriger die Weltmeisterschaften im Rodeoreiten gewonnen. In einer ausverkauften Arena, auch damals vor über 10000 Menschen, war er als einer von Hunderten Cowboys angetreten. Ein junger Mann unter vielen. »Heute«, sagte er später im Bus, »komme ich wieder. Ein einzelner Mann. Und dieses Stadion ist wie damals ausverkauft wegen dieses einzelnen Mannes. All diese Menschen kommen meinetwegen, um das Training von Pferden mit gewaltfreien Methoden zu sehen. Ein unbeschreibliches Gefühl.«

Auf mich kamen im Lauf dieser Tourneen immer neue Aufgaben zu. Langsam, nach und nach. Hatte Jason mir anfangs einen Verlader in der Vorauswahl überlassen, kamen nun unreitbare Pferde und Starter hinzu.

Ich machte Fortschritte. Um den Überblick im Prozedere der Vorauswahl zu behalten, hatte Monty zur Bewertung der einzelnen Pferde ein Score-System einge-
führt, wie man es aus dem Rodeo kennt. Er vergab für
jedes Pferd Punktzahlen, an denen er sich später orientieren konnte. Also saß er mit einem Blatt Papier und
Bleistift am Rand des Roundpen und machte sich Noti-
zen, während Jason oder ich die kurzen JOIN-UPs
durchführten.

Auf diesem Notenblatt – die höchste Bewertung lag
bei 76 Punkten, die schlechteste bei etwa 68 – gab es
immer zwei Rubriken, MR und JD: Monty Roberts und
Jason Davis. Beide gaben ihr Votum ab. Bald fing ich an,
für mich im Kopf jedem Pferd auch eine Note zu geben,
um sie später mit den Bewertungen der beiden Männer
zu vergleichen. »Was hast du gegeben?« – »Zweiund-
siebzig!« – »Ja, ich auch!« Ich bewertete ähnlich, ich
kam an ihre Einschätzungen durchaus heran.

Das Spiel ging weiter. Einige Tage später fügte
Monty Roberts seiner Score-Tabelle noch eine Spalte
hinzu: AK. Er wollte meine Einschätzung hören. Erst
zögerlich, dann immer sicherer, gab ich meine Benotun-
gen ab, ohne zu wissen, ob ich ganz gut oder völlig daneben lag. Pferd für Pferd. Am Schluss zeigte mir Monty
die Tabelle – es gab geringe Abweichungen, überwiegend Gleichstände. Ich war gar nicht so schlecht.

Jeden Tag testeten wir die Scores, verglichen unsere
Ergebnisse. Schließlich machte ich alle JOIN-UPs der
Vorauswahl, und Monty rief nach jedem Pferd nur ins
Roundpen: »Deine Wertung?« Monty und Jason notier-
ten ihre Ergebnisse, ich gab meine Wertung ab. 72,5 –
74 – 73,5 und so weiter, für ein Pferd nach dem anderen.
Schließlich kam der Tag, der für mich gleichsam den

Beginn einer neuen Ära markierte: Bei jedem einzelnen Pferd hatten wir dieselbe Wertung. Absolut identisch.

Im darauf folgenden Jahr gingen wir wieder auf Tournee. Ich machte die Vorauswahl, wir schätzten die Pferde ein, und plötzlich sagte Monty: »Andrea, wir bewerten einen zweiten Starter für die VIP-Gäste.« Warum? Es hatte bislang immer nur einen gegeben. Bei den großen Shows war es üblich, in einem Preview eine kurze Extravorführung für rund 600 VIP-Gäste zu geben, die nicht auf den Tribünen und Zuschauerrängen, sondern direkt in der Halle neben dem Roundpen saßen. In den meisten Fällen arbeitete Jason Davis oder Monty Roberts zu diesem Anlass mit einem Starter, einem rohen, nicht eingerittenen Pferd. Es wurde demonstriert, wie das Pferd den ersten Sattel, die erste Trense und den ersten Reiter akzeptiert.

Während ich ihn noch verblüfft aus dem Roundpen anstarrte, fuhr er beiläufig fort: »Du machst den Zweiten.« Ein erstarrter Moment des Schweigens war die Antwort. »Du weißt, wie das geht.« Ich selbst sollte das Pferd aussuchen. Und ich sollte 15 Minuten Zeit bekommen, um es an Sattel, Trense und Reiter zu gewöhnen. Eine Viertelstunde, um ein Pferd einzureiten. Mehr nicht. Ich wusste, dass das geht. Zahlreiche Pferde hatte ich bis dahin bereits auf diese Weise eingeritten, aber noch nie vor so vielen Zuschauern. Es lief tadellos, und das Publikum applaudierte.

Von da an arbeitete ich täglich vor den VIPs mit einem Starter. Eine Station dieser Tournee war das Stadion in Essen. Die Pferde mussten mit einem Fahrstuhl in die Halle gebracht werden. Ein Albtraum. Ein schlechter, rutschiger Boden verschärfte die Situation. Ich machte die JOIN-UPs der Vorauswahl, eines nach dem anderen, es lief gut. Jedes einzelne Pferd trat mit mir in Kommunikation und folgte mir. Ich wurde immer sicherer. Monty saß hinter meinem Rücken, sah zu und sprach mit den Pferdebesitzern.

Nach dem fünfzehnten Pferd rief er mich zu sich. Beiläufig winkte er mich heran, aber was er mir zu sagen hatte, eröffnete eine neue Dimension dessen, was er wusste und was er in der Lage war zu sehen. In dem entscheidenden Moment, sagte er, in dem ich dem Pferd meine passive Schulter zuwende, es sich mir anschließen und nachfolgen soll, ließe ich für den Bruchteil einer Sekunde meinen Blick zum Pferd wandern, um zu prüfen, ob es komme. Das bremst die Pferde. Einen winzigen Moment lang zögerten sie, zu mir zu kommen, sagte er. Einen winzigen Moment lang seien die Pferde nicht hundertprozentig sicher gewesen, ob sie mir tatsächlich folgen durften. So seine Kritik. Eine Bewegung mit den Augen, die nicht länger als Sekundenbruchteile dauerte. Bemerkt von einem Mann, der meine Augen die ganze Zeit über nicht einen Moment hatte sehen können, weil ich ihm den Rücken zuwandte – und der, während ich die Arbeit im Roundpen gemacht hatte, in intensive Gespräche mit den Pferdebesitzern vertieft gewesen war. Monty Roberts hatte diese minimale Bewegung meiner Augen im Verhalten der Pferde lesen können.

Ich war sprachlos, überfordert, zweifelte. Machte eine so minimale Bewegung mit den Augen tatsächlich so viel aus? Veränderte ein winziger Augenaufschlag wirklich das Ergebnis? Ich konzentrierte mich. Bei den nachfolgenden Pferden achtete ich auf den entscheidenden Moment, hielt die Blickrichtung und vergewisserte mich nicht nach hinten, ob das Pferd mir tatsächlich folgte. Das Resultat war überwältigend. Ich erlebte ein gänzlich anderes Gefühl, eine komplett neue Verbundenheit mit dem Pferd, eine andere Dimension des Vertrauens.

Was dieser Mann sieht und weiß, hatte mich bereits unzählige Male überrascht. An diesem Punkt aber erreichte das Wissen, das er an mich weitergab, eine neue Qualität. Eine kleine Bewegung der Augen erwies sich als Meilenstein für das Fortschreiten meines Könnens und Verstehens.

Ein weiterer Tourneestopp war für Aachen geplant. Die Umstände, vor allem mit Blick auf das gesamte Management der Tour, gestalteten sich äußerst mühsam und anstrengend. Wir waren dennoch positiv gestimmt und den Umständen entsprechend entspannt. Für mich waren die Zeiten der übergroßen Anspannung erst einmal vorbei. Alle Aufgaben, die ich zu erledigen hatte, konnte ich ausführen. Ich hatte den Preview im Griff, meine Starter akzeptierten ausnahmslos Sattel, Trense und Reiter, ich kannte die Abläufe, machte gute Arbeit. Während ich gelöst an die Dinge heranging, hätte mir eigentlich klar sein müssen, dass ich unter genauester Beobachtung von Monty Roberts stand. Er checkte genau ab, wann ich für den nächsten Lernschritt bereit sein und wie ich ihn meistern würde. Im Nachhinein sehe ich das deutlich vor mir, in dem Moment aber dachte ich: Okay, es läuft, alles in Ordnung.

Für den Preview stand in Aachen plötzlich ein extrem großes, unerzogenes Pferd vor mir – Stockmaß mindestens 1,80 Meter, riesige Hufe, ein Koloss. Das Pferd ging nicht auf den Anhänger, der zudem auch noch viel zu klein für die Körpermaße dieses Tieres war. Ein Pferd, das absolute Ablehnung ausstrahlte, schnell und aggressiv in den Bewegungen war, den Menschen nicht mehr wahrnahm und ihn einfach umrannte. Ein Pferd, das in jeder Situation die Kontrolle behielt.

Ich hatte schon bei der Vorauswahl im Roundpen Respekt vor dem Wallach, gleich am Anfang rannte er mich zweimal beinahe um. Beim Auswählen geht es nicht darum, die Pferde zu korrigieren, sondern ihr allgemeines Verhalten dahingehend zu prüfen, ob sie, abgesehen von ihrem spezifischen Problem, normal kommunizieren und damit geeignet für die Vorführung sind. Dieses Pferd war es definitiv nicht. Sein ganzes Grundbenehmen war katastrophal, unerzogen, abgeschlossen. Zudem war der Wallach einfach zu groß für die Vorführung, in der Monty das Pferd auf dem Anhänger gern umdrehte, um den Zuschauern plausibler zu machen, was geschah und wie er vorging.

Natürlich können wir auch ein solches Pferd innerhalb von 30 Minuten verladen. Haben wir aber die Wahl, nehmen wir natürlich bei den Verladern lieber ein Pferd, das vom Gesamtbild her harmonischer und offener ist, sprich, die grundlegenden Umgangsformen zwischen Mensch und Pferd gelernt hat.

Die gesamte Situation war enorm stressgeladen. Monty kam in letzter Sekunde in die Halle, weil er zuvor eine Autogrammstunde gegeben hatte. Eine große Journalistenschar erwartete ihn bereits, sein neues Buch war gerade erschienen, Vertreter des Verlags waren da, das Publikum des Preview stand herum – ein enormer Menschenauflauf, Hektik und Anspannung lagen in der Luft. Als Monty die Auswahl der Pferde bekannt gab und der Besitzer des Wallachs realisiert hatte, dass sein Pferd nicht dabei war, kam er mit einem Kamerateam und weiteren Journalisten wie eine Furie auf Monty zugestürzt, zeigte mit dem Finger auf ihn und schrie: »Sie sind ein Betrüger, ein Lügner, alles, was Sie machen, ist ein Trick, ein Fake.«

Eine absurde Situation, wie dieser Mann den völlig gewaltfreien und in diesem Moment absolut verblüfften Monty Roberts anschrie. »Es ist alles nicht wahr, was hier stattfindet, mein Pferd ist das einzige, das ein wirkliches Problem hat, alle anderen sind überhaupt nicht schwierig. Sie nehmen mein Pferd nicht, weil Sie es nicht verladen können. Und das wissen Sie. Alles hier ist nur Betrug. Sie wählen nur die leichtesten Pferde aus.« Die Salve seiner Beschimpfungen riss nicht ab, er war außer sich. Monty blieb vollkommen ruhig, ich stand beobachtend neben ihm. Wie würde er reagieren? Wie würde er mit der Situation umgehen?

Ein völlig gelassener Monty Roberts sagte zu dem Pferdebesitzer: »Okay, wir machen es. Wir verladen das Pferd gleich jetzt, wie in der Show. Wir machen hier eine kleine Show vor diesen zweihundert Schaulustigen. Und wissen Sie was? Nicht ich werde Ihr Pferd verladen, sondern einer meiner Studenten.«

Wie gelähmt stand ich neben ihm, war einen Moment lang völlig bewegungsunfähig. Montys Worte hallten in meinem Kopf wider – einer meiner Studenten. Konnte er damit Jason meinen? Aber ihn würde er nicht als Studenten bezeichnen. Reflexartig suchte ich nach einem Vorwand, um mich aus dem Staub machen zu können. Monty sah mich kurz an. Es war dieser Blick, der sagte: Du kannst es, sei professionell, keine Widerrede, kein Zögern.

Als wäre es das Normalste der Welt, nahm ich das Pferd. Monty musste wissen, warum er es mir gab. Ich vertraute ihm – und damit mir selbst. Monty blieb an Ort und Stelle stehen, um noch ein Interview zu geben. Ich ging mit dem Pferd ins Roundpen, um es mit einem JOIN-UP vorzubereiten. Positiv war, dass die Menschenmenge bei Monty blieb, sodass ich allein und in Ruhe mit dem Pferd arbeiten konnte. Ohne die volle Aufmerksamkeit der Zuschauer machte ich ein wunderbares JOIN-UP, das Pferd kommunizierte, kooperierte, schenkte mir sein Vertrauen. Ich fühlte mich geborgen, ruhte ganz in mir und in der Verbindung zu diesem Lebewesen.

Nun stand auch der Anhänger bereit, es konnte losgehen. Ich begann mit der Arbeit vor dem Transporter. Ich machte alles so, wie ich es gelernt und oft genug geübt hatte. Vergleichbare Situationen zogen vor meinem inneren Auge vorbei. Das Lachen der Pfleger auf dem Hof, ihr herablassendes Lächeln. Zum ersten Mal war eine Kamera dabei auf mich gerichtet, Aufnahmegeräte liefen. Der Erfolgsdruck war gegeben und mir absolut bewusst. Ich war aufgeregt, aber in der Arbeit mit dem Pferd kontrolliert und sicher. Alles funktionierte, Monty gab weiter sein Interview, das Pferd ging auf seinen eigenen, winzig kleinen Hänger mit Faltdach, wieder und wieder, hinauf und hinunter.

Schließlich sollte das Pferd völlig allein, ohne Strick oder Longe, an meiner Schulter auf den Hänger gehen. Ich machte alles wie immer, wir gingen auf den Anhänger zu und – der Wallach blieb vor der Rampe stehen. Ich hörte Monty sagen: »Versuch es noch einmal!« Ich drehte, nahm einen zweiten Anlauf. Wieder blieb das Pferd vor der Rampe stehen. Ich wusste nicht, warum, mir war kein Fehler aufgefallen. Monty unterbrach sein Interview und fragte: »Andrea, bist du nervös?« Ich war mir nicht sicher. Monty: »Dann hast du wahrscheinlich Sand an deinen Fingern.« Ich schaute ihn verblüfft an. »Warum?«

Meine Körpersprache war einigermaßen ruhig, Puls und Adrenalinspiegel bewegten sich im Rahmen. Aber es stimmte. Monty sagte: »Immer wenn du dich in Richtung Anhänger bewegst, reibst du Daumen und Zeigefinger gegeneinander. Das machen Menschen, die nervös sind. Oder die Sand an den Fingern haben.« Es stimmte. Jedes Mal wenn ich vor dem Pferd auf den Hänger ging, machte ich unbewusst diese reibende Bewegung mit den Fingern.

»Noch mal«, hörte ich Montys ruhige Stimme. Ich konzentrierte mich auf meine Hand, ließ sie bewusst locker hängen und ging vor dem Pferd die Rampe hinauf. Das Publikum verfolgte die Szene starr vor Spannung. Der Wallach folgte mir ohne das kleinste Zögern. Das sind ebendiese Momente, die auf Außenstehende wie reine Magie wirken. Der Besitzer des Pferdes brach richtiggehend in Tränen aus, verneigte sich immer wieder und entschuldigte sich bei Monty und allen Umstehenden.

Tourneealltag. An diesem Abend sollten wir in München auftreten. Viele Pferde waren zur Vorauswahl angemeldet worden, unter anderem ein Pony, das sich extrem schwierig im Umgang zeigte. Das Pony und seine Besitzerin wurden von einem Fernsehteam des Westdeutschen Rundfunks (WDR) begleitet, da sie zu den Hauptdarstellern einer Kindersendung gehörten und auf Initiative des Senders zu Monty Roberts als letzter Hoffnung gebracht worden waren. Der lehnte das Pferd nach der Vorauswahl für die Show ab.

Immer wieder hatten Kritiker fälschlicherweise behauptet, es sei viel einfacher, mit Ponys zu arbeiten. Oftmals hieß es: »Ach, den kleinen Kerl hätte ich auch reiten können.« Seither nimmt Monty, wenn interessante Großpferde zur Auswahl stehen, lieber diese ins Hauptprogramm.

Für die Besitzerin des Ponys brach eine Welt zusammen. Das war ihre letzte Chance gewesen. Und auch das Filmteam hatte darauf gesetzt, das Happyend des Beitrags im Roundpen in München drehen zu können. Monty schlug vor: »Sie können das Pferd bei Andrea Kutsch ins Training geben.« Das war eine Idee. Ich würde es machen, aber das Filmteam sollte die Arbeit mit dem Pony drehen.

Gesagt, getan. Die Redakteure waren hellauf begeistert von der Idee. Sie wollten sogar noch weitere Pferde dazuholen und im Training filmen. Mein erstes Fernsehprojekt, eine 30-minütige Dokumentation, nahm Gestalt an. In die Riege der Problemfälle, die ich trainieren sollte, reihten sich nach kurzer Zeit noch ein unreitbarer, weil buckelnder Isländer und ein hoch talentiertes Springpferd mit einer schweren Phobie vor Wassergräben ein. Die Fernsehleute prognostizierten einen durchschlagenden Erfolg für den entstehenden Film. Und sie behielten Recht.

Der Film *Gnadenfrist für Witty*, der im Jahr 2003 ausgestrahlt wurde, hat die Sympathien dann neu verteilt. Tausende von Menschen verstanden plötzlich, worum es eigentlich geht und welche Beweggründe Monty Roberts und mich veranlassen, unser Leben der gewaltfreien Kommunikation mit Pferden zu widmen. Auch wenn der Film die Methode im Einzelnen natürlich nicht transportieren konnte, wurde der Kern der Botschaft deutlich.

Im Nachhinein betrachtet, war die anfängliche Abwehrhaltung vieler Menschen eine logische Reaktion auf das Neue, das Unverständliche. Eine Art Selbstschutz gegenüber demjenigen, der ihre Weltanschauung und die jahrelang gelebten Muster auf einmal infrage stellt und sie zur Reflexion zwingt. Zum damaligen Zeitpunkt aber brach für mich eine Welt zusammen. Vor allem verstand ich eines nicht: Ich war dieselbe geblieben, nur hatte ich einen Schatz an Wissen und Können sowie ein Plus an großartigen Erkenntnissen hinzugewonnen. Wie konnte mich das zu einem Menschen machen, der plötzlich durch die Maschen der Normalität rutschte?

Ich konnte Dinge tun, zu denen ich vorher nicht imstande gewesen war. Für mich ein erhebendes Glücksgefühl. Eine Tür hatte sich geöffnet, plötzlich konnte ich sehen und verstehen, dass Pferde willig sind zu lernen, dass sie kooperieren und einen Partner, Schutz und Sicherheit suchen. Die oft bemühte Böswilligkeit existierte einfach nicht. Es war so überwältigend, so einzigartig, was ich den Pferden plötzlich geben konnte. Dafür musste ich lernen und akzeptieren, dass mir viele meiner ehemaligen Reiterkollegen in diesem zentralen Punkt nicht folgen wollten oder konnten.

Mein Hamburger Marktforschungsinstitut hatte die Folgen des 11. September 2001 nur unter Schwierigkeiten überlebt. An diesem schwarzen Tag befand ich mich bei einer Jagd in Pittsburgh, als wenige Kilometer von uns entfernt das Flugzeug abstürzte. Ausnahmezustand, Schock. An einen Rückflug nach Deutschland war zunächst nicht zu denken, die Lage zu Hause wurde ernst. Ich hatte fast ausschließlich internationale Kunden, der Kreditrahmen war durch meine Reisen und meine Ausbildung bis an die Grenzen ausgeschöpft. Und dann die Anschläge. Kein Kunde dachte mehr an Marktforschung in Hamburg, ich schon gar nicht. Institut für Institut musste die Pforten schließen.

Wie prekär die Situation tatsächlich war, zeigte sich daran, dass mich auf meinem Weg niemand finanziell unterstützt hatte. Darlehen wurden gekürzt, gekündigt, fällig. Ich fürchtete um meine Existenz, aber mein Banker verhielt sich ruhig. Jeder kämpfte. Einige Wochen später sollte ich in den USA mein Examen als Instruktorin ablegen, aber die Geldquelle war versiegt. Die Bank bat um Bürgen, doch für eine Pferdeflüsterin wollte keiner garantieren. Erneut schlug mir Misstrauen entgegen, selbst aus der eigenen Familie. Nur Monty hätte ich niemals um Hilfe gebeten. Im Nachhinein wundert es mich, dass mir nicht einmal der Gedanke kam. Vielleicht war es mein Drang zur Unabhängigkeit, der mich davon abhielt.

Szenenwechsel. Die Chaps über den Stuhl gehängt, Hosenanzug an. Kundenakquisition in einer schweren Zeit. Ich bekam wieder Aufträge, es fehlte aber das Geld, um sie vorzufinanzieren. Meine Freundin Constance lieh mir 4000 Mark, und es ging weiter. Die Gewissheit, das Richtige zu tun, spornte mich an. Mit dem letzten Geld flog ich nach Kalifornien, bestand im Februar 2002 das Instruktor-Examen und kehrte nach Deutschland zurück. Nun ging es darum, eigene Erfahrungen im Unterrichten zu sammeln, an meine Grenzen zu stoßen, allein zu arbeiten, selbst Antworten zu finden.

Nach dem Abschied von Monty hatte ich heulend meine Koffer gepackt und war davongezogen. Aber ich wusste, dass auch diese Trennung nicht von langer Dauer sein würde.

Zu Hause versuchte ich zu retten, was zu retten war. Ein Zurück in die Welt der Kostüme und Hosenanzüge gab es nicht mehr, und so verkaufte ich mein Unternehmen. Das verschaffte mir Luft und machte mich frei für die nächste Herausforderung: Nördlich von Hamburg gründete ich 2002 das erste Monty Roberts Learning Center Deutschlands. Zur Eröffnungsfeier auf meinem Hof Hellerholz bei Alveslohe lud ich auch meinen damaligen Banker ein. Ich dankte ihm in meiner Willkommensrede und erinnerte an seine Worte: »Ich verstehe zwar nichts von Pferden. Aber ich glaube an Sie.« Ohne ihn wäre manches schwerer zu realisieren gewesen.

Die Nachfrage nach meinen Lehrgängen und Seminaren war enorm, vor allem auch die Nachfrage nach den Zertifikaten, die man nach erfolgreichem Abschluss erhielt. Verstanden habe ich das nie so ganz. Was nützt das schönste Zertifikat an der Wand, wenn ich die entsprechende Leistung nicht bringen kann? Welche Motivation steckt dahinter? Wozu dient der Besuch eines Seminars tatsächlich? Wie viel hat all das letztlich mit dem Namen Monty Roberts zu tun?

Konfrontation

Auf einer Tournee 2003 wurden Monty und ich von einem Filmteam begleitet. Wir waren offen, kooperativ und unterstützten die Fernsehleute in jeder Hinsicht. Was wir nicht wussten: Diese Crew war mit dem erklärten Ziel angetreten, unsere Arbeit zu diskreditieren. Sie wollten beweisen, dass alles, was wir tun, auf Tricks und Augenwischerei beruht. Nichts als Lug und Trug, den sie aufdecken wollten. Es gab aber nichts zu verheimlichen bei dem, was wir taten.

Kein Mensch auf der Welt wird Monty oder mich jemals Gewalt ausüben sehen. Niemals. Das hat seinen Grund darin, dass wir die Methodik unserer Arbeit als wahr erkannt und bis ins Tiefste unserer Seele verinnerlicht haben. Es gibt keinerlei Verlangen nach Gewalt. Sie existiert weder als Möglichkeit noch als Alternative. Pferde können nach unserer Auffassung helfen, jede Neigung zu Gewalt in einem Menschen zu beseitigen, wenn er dazu bereit ist.

Die Mitglieder des Filmteams wurden von Tag zu Tag schroffer, unangenehmer. Einmal wollten sie eine Szene stellen. In der Show hatten wir einen Verlader auf den Anhänger gebracht. Wie immer gewaltfrei, nur indem wir uns das Vertrauen des Pferdes erworben hatten und psychologisch korrekt vorgingen. Dass Pferde, die in ihr altes Umfeld zurückkehren und mit den alten

Verhaltensweisen konfrontiert sind, selbst auch wieder in alte Reaktionsmuster zurückfallen, liegt auf der Hand und gehört bei unserer Arbeit zum Grundwissen. Das Team wollte also zeigen, dass der Erfolg in der Show nichts als Trickserei war, und filmte Besitzer und Pferd bei einem neuerlichen Verladeversuch außerhalb der Arena. Auf rutschigem Untergrund und ohne Hilfsmittel endete der Versuch natürlich mit dem gewünschten negativen Ergebnis. Wohlverstanden, die Besitzer kannten unsere Methode nicht und hatten sie nie erlernt. Ich griff ein, erklärte, sprach erbost mit den Journalisten. Ohne Ergebnis. Monty schritt ein und begann zu diskutieren. Mir war nicht nach Diplomatie.

Zwei Monate war das Team an unserer Seite. Im Endeffekt entstand ein netter Film, in dem ich nicht ein einziges Mal vorkam. Monty Roberts nahm sich der Presse an. Stundenlang sprach er mit den Journalisten und schaffte es in vielen Fällen, ihnen die Augen zu öffnen. Ich hingegen verschloss mich immer mehr in diese Richtung, wollte diese Art von Konflikten von mir fern halten. Monty war der Gute, ich oftmals die Böse – eine eindeutige Rollenverteilung in den Augen vieler. Mehr und mehr machten mir der Medienrummel und so mancher Angriff in der Presse zu schaffen. Manchmal fühlte ich mich am Ende meiner Kräfte. Ich konnte mit dieser Form von psychischem Druck von Außenstehenden immer weniger umgehen.

Monty und ich redeten stundenlang darüber. Das Ergebnis war, dass mir klar wurde, worin meine nächste große Aufgabe bestand. Die Pferde konnte ich bereits verstehen, jetzt waren die Menschen dran. Diese Einsicht hat mich seitdem nicht mehr verlassen, und nach und nach hat sie mich auch an den Punkt gebracht, den für mich passenden und auf meine Person zugeschnittenen Weg zu finden. Ich, Andrea Kutsch, würde eines Tages unabhängig, aber nicht geistig entfernt von Monty Roberts meinen eigenen Weg gehen müssen.

Schon vor Jahren hatte Crawford Hall auf Flag Is Up Farms zu mir gesagt, man müsse lernen loszulassen – und zu warten. »Wenn du die Dinge loslassen kannst«, hatte er gesagt, »dann kommen sie von allein zu dir zurück. Das dauert manchmal sieben Sekunden, manchmal sieben Tage und manchmal sieben Jahre. Du musst nur warten können.«

Damals wäre ich an solchen Konfrontationen wie der mit dem Filmteam beinahe zerbrochen. Heute verstehe ich ihren Sinn. Und ich habe diese Geschichte zu Ende gelebt. Das erkannte auch Monty. Erst als ich mich so weit von den Dingen gelöst hatte, dass ich darüberstehen konnte, wurde mir schlagartig klar: Es ist wirklich möglich, meinen Traum zu leben. Diese Gewissheit traf mich wie ein Blitzschlag.

Früher hatte ich an vielem gezweifelt, unter anderem daran, ob ich den Mut haben würde, meinen eigenen Weg zu gehen. Die Vorstellung, eines Tages aus dem Schatten dieses Mannes zu treten und zu scheitern, machte mir Angst, denn ich hatte nicht die kleinste Idee, wie der Rest meines Lebens danach aussehen sollte. Manchmal ist es einfacher und bequemer, immer weiter zu träumen, als der Möglichkeit ins Auge zu sehen, dass der Traum ein Ende hat. Die Erkenntnis, dass ich auf eigenen Beinen stehen kann, war damals für mich ganz entscheidend, ein Durchbruch. Ich bin ich, und ich kann etwas tun, wie auch immer es wird. Ich habe meine Linie.

Meine Art, mit Menschen umzugehen, wird von

manchen – aus ihrer Sicht vielleicht zu Recht – als sehr direkt bezeichnet. Tatsache ist, dass ich in meinem Leben und in meiner Arbeit einem als richtig erkannten Ziel kompromisslos nachgehe. Auch hier habe ich einen Lernprozess hinter mich gebracht. Es geht darum, die Balance zu finden und sowohl den anderen als auch mir selbst gerecht zu werden.

Auf unseren Tourneen war es immer üblich gewesen, dass Monty einen Stand hatte, an dem er Bücher signierte und Autogramme gab. Von mir hatte man bis dato nur bedingt Notiz genommen. Ich stand neben ihm, beantwortete Fragen, schlug die Bücher zum Signieren auf, assistierte und beobachtete. Das änderte sich schlagartig mit dem Tag, an dem *Gnadenfrist für Witty* über die Bildschirme geflimmert war, der erste Film über mich, der noch dazu sehr erfolgreich war.

Viele Menschen – vor allem Kinder und Jugendliche – begeisterten sich für die Idee, mit Pferden sprechen und sie verstehen zu können. Sie wollten mich als Lehrerin und als Trainerin kennen lernen, nicht als Showgirl; sie wollten mit mir reden und Autogramme bekommen. Monty war anfangs völlig perplex. Zum ersten Mal stand nicht er allein im Rampenlicht, sondern neben ihm tat jemand den Schritt in die Öffentlichkeit und wurde wahrgenommen. Plötzlich war außer ihm noch jemand gefragt – an seiner Seite, bei seinen Veranstaltungen. Nun musste er lernen, seine Schülerin gehen zu lassen.

Alle Kinder wollten ein Autogramm von mir, unsere komplette Show war voll von ihnen, ich wurde regelrecht belagert. Wir bauten einen zweiten Stand für mich auf, um den sich binnen kürzester Zeit eine Traube von Menschen drängte. Es war an der Zeit für mich, die nächste Lektion zu lernen – dieses Mal im Umgang mit einem begeisterten Publikum.

Monty hatte sich im Lauf der Zeit abgewöhnt, zu intensiv auf die Fragen der einzelnen Besucher einzugehen. Die »Ja, aber«-Generation nannte er jene Zeitgenossen, die auf jeden Ratschlag mit einem »Ja, aber« reagierten und gleichzeitig stundenlang diskutieren wollten. Mit ihnen machte er kurzen Prozess. Ein kurzer Verweis auf seine Bücher und Filme, und der Fall war erledigt. Keine weitere Diskussion, die zu nichts führt. Kein Verstricken in endlose Debatten.

Genau das hatte ich zu diesem Zeitpunkt noch nicht gelernt. Stattdessen empfand ich ihn oftmals als schroff und kurz angebunden. Ich begriff nicht, dass es unmöglich ist, mit jedem Einzelnen der »Ja, aber«-Menschen bis zum Ende zu diskutieren. Der Punkt ist – und das wurde mir erst im Lauf der Zeit klar –, dass die »Ja, aber«-Menschen nicht kommen, um zu fragen. Im Gegenteil, sie erscheinen, um ihre eigene Meinung kundzutun beziehungsweise bestätigt zu bekommen. Die wenigsten hören wirklich zu und wollen etwas lernen. Die wenigsten wollen Neues erfahren und nehmen das Neue auch an. Das zu verstehen fällt mir schwer, weil ich anders bin.

Jedes einzelne Wort, das über Monty Roberts' Lippen kam, versuchte ich aufzunehmen und umzusetzen. Wahrscheinlich führte nicht zuletzt diese Grundhaltung dazu, dass ich die »Ja, aber«-Menschen schließlich doch mit Montys Augen sah. Aber so weit war ich noch lange nicht.

An meinem neuen Stand tauchte plötzlich ein Mann vor mir auf. Er stellte Fragen, ich gab Antworten. Ich begann zu erklären und auszuholen. Jeder seiner Sätze begann mit einem »Ja, aber«. Er hörte nicht zu, er wusste alles besser, er konnte nicht erkennen, was ich ihm mitteilen wollte. Er redete und redete. Schließlich platzte mir der Kragen. Ganz sachlich sagte ich zu ihm: »Okay, dann lassen Sie am besten alles, wie es ist, nehmen drei Aspirin am Tag, und alles wird gut.«

Der Mann flippte völlig aus. Er war außer sich vor Empörung, lief rot an, rannte hinüber zum Stand von Monty Roberts und schrie ihn an, wer da Untragbares und Arrogantes in seine Fußstapfen treten solle. Monty beruhigte ihn, ich erwartete ein Donnerwetter, aber Monty lächelte, grinste, lachte. Das war genau so ein Mensch, dem er antworten würde: »Sehen Sie sich meine Bücher und Videos an.«

Früher, erzählte er mir später im Auto, hielt er immer eine Schale mit Gummibärchen an seinem Stand bereit. »Immer wenn einer der ›Ja, aber‹-Menschen zu einer ziellosen Ansprache anhob, habe ich auf die Gummibärchen gezeigt und gesagt: ›Nehmen Sie bitte eines, und alles wird gut.‹ Die Menschen haben sich aufgeregt, und ich hatte meinen Spaß. Und irgendwann habe ich damit aufgehört.« Er hatte also damals genauso reagiert wie ich heute. Ich war in Bezug auf die »Ja, aber«-Menschen an einem Punkt, den er vor zehn Jahren auf ganz ähnliche Art gelöst hatte. Wir schüttelten uns aus vor Lachen. Der Mann, dem ich Aspirin empfohlen hatte, war längst weg.

Das Fundament, das Monty Roberts mit seinen Shows geschaffen hatte, ermöglichte es ihm auf ideale Weise, die Menschen mit seiner neuen, unkonventionellen Methode zu konfrontieren. Es war hervorragend und unverzichtbar. Für mich stellte es die Grundlage dar, auf der ich aufbauen und an der ich wachsen konnte.

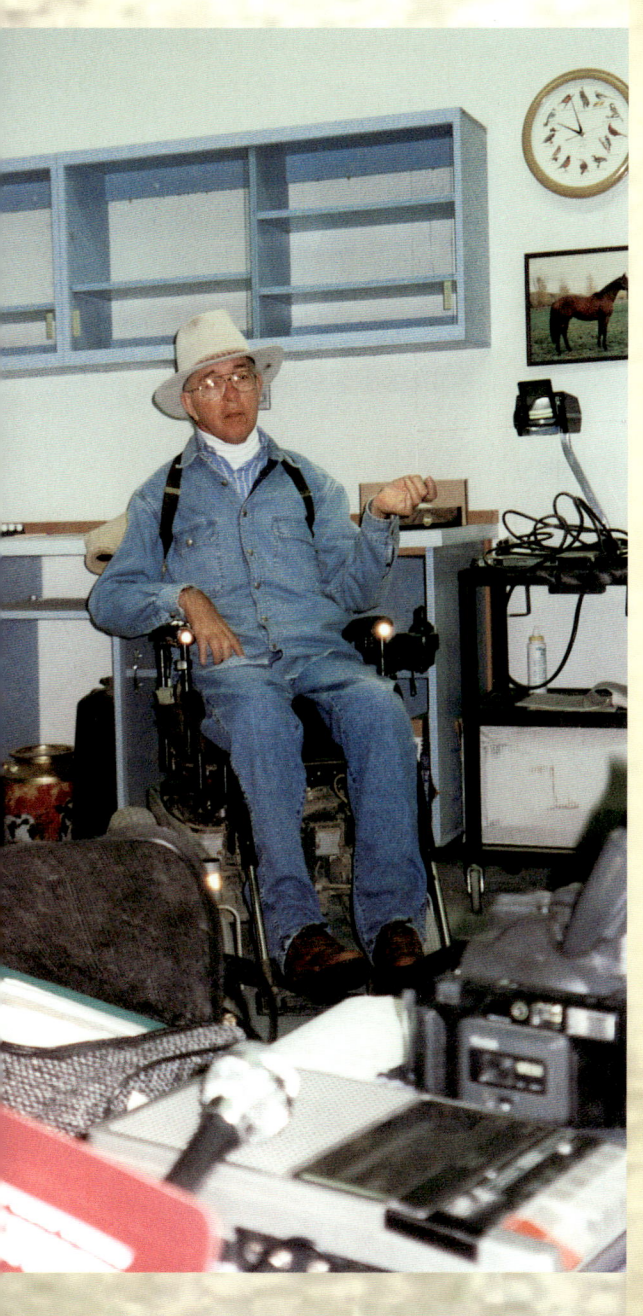

13. Crawford Hall: The Master of teaching Equus. Ich empfinde tiefe Dankbarkeit für jede Minute des Lernens an der Seite dieses großartigen Mannes (Foto: Privatarchiv Andrea Kutsch)

14. *Oben:* Bei der Arbeit mit einem meiner ersten Jährlinge auf Flag Is Up Farms, 1999 (Foto: Privatarchiv Andrea Kutsch)

15. *Unten:* Mit Monty Roberts beim Tra[i]ning in der Startmaschine auf Flag Is U[p] Farms. Das Rennpferd Usual Suspect wa[r] mein erstes »Psychologie-Projekt« in de[r] USA (Foto: Privatarchiv Andrea Kutsch[)]

16. *Oben:* Monty Roberts überreicht mir eines der Zertifikate, die ich auf Flag Is Up Farms erworben habe (Foto: Privatarchiv Andrea Kutsch)

17. *Links:* Rennbahn Hamburger Derby. Mit Monty am Führring beim Beurteilen junger Rennpferde kurz vor dem Start (Foto: Privatarchiv Andrea Kutsch)

18. *Oben:* Topsy, Vollschwester von Tiranja, war einer der ersten Vollblüter, die ich in unserem Polostall in Hamburg nach den Methoden von Monty Roberts startete. Heute ist sie erfolgreich im Polosport im Einsatz (Foto: Privatarchiv Andrea Kutsch)

19.-22. *Diese und folgende Seite:* Fotos zur Serie *Die Pferdeflüsterin,* die im Jahr 2006 erstmals ausgestrahlt wurde (Fotos: Privatarchiv Andrea Kutsch, 19-21; Stroscher, Asendorf, 22)

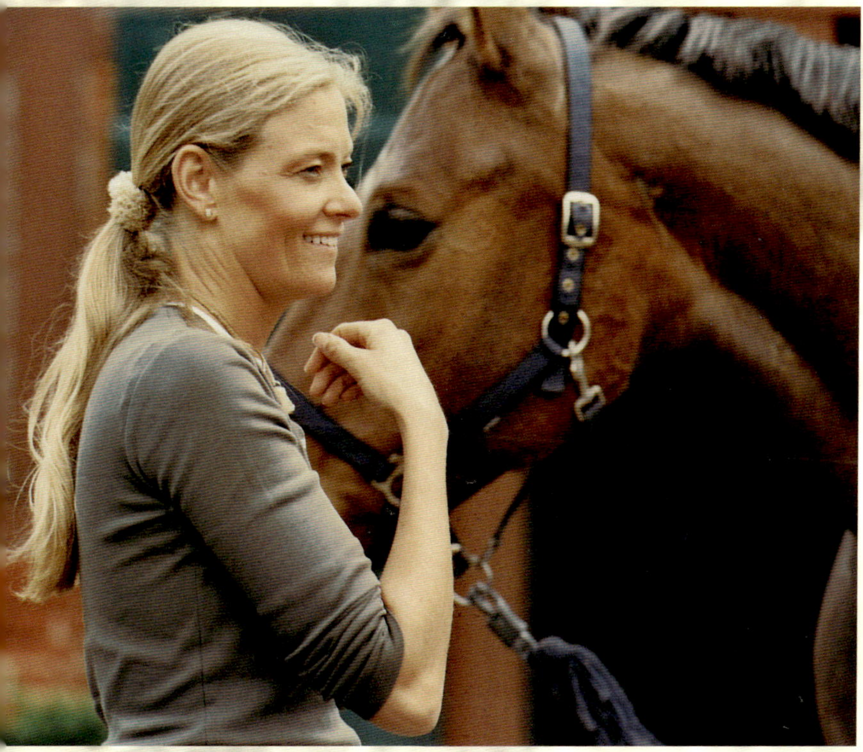

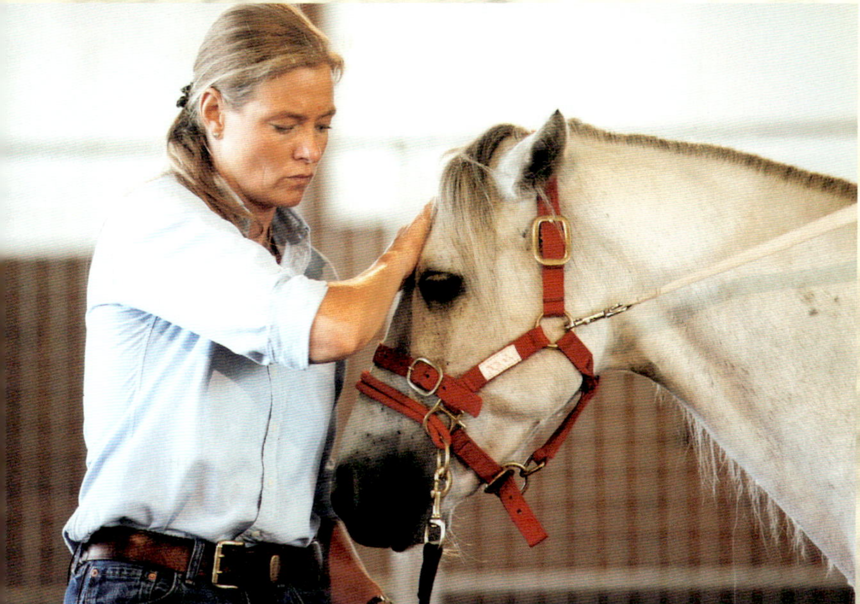

23./24. *Oben links und rechts:* Momo (l.) und Winny (r.) – meine treuen Wegbegleiter für über vierzehn Jahre (Foto: Privatarchiv Andrea Kutsch)

25. *Unten:* Monty und ich mit Wild West, dem ersten von Monty in Deutschland selbst gezogenen Rennpferd. Da Wild West aus gesundheitlichen Gründen im Sport nicht eingesetzt werden konnte, blieb er bis heute an meiner Seite und führt Menschen erfolgreich in die Sprache der Pferde ein (Foto: Norbert Gettschat, Hamburg)

26. *Oben:* Wunderbare Lehrjahre an der
eite von Monty und Simon Stokes auf Ge-
tüt Fährhof bei Bremen (Foto: Privat-
rchiv Andrea Kutsch)

27. *Unten:* Noch einmal mit Wild West
(Foto: Norbert Gettschat, Hamburg)

28. Beim Beobachten und Studieren des Meisters bei der Arbeit – bereit, ihm den ersten Sattel für einen jungen Starter zu reichen (Foto: Norbert Gettschat, Hamburg)

Nur so gelang es mir, meinen eigenen Ansatz zu finden und in eine wissenschaftliche, akademische Richtung weiterzuentwickeln.

Politik der kleinen Schritte

Das große Geheimnis meiner Ausbildung war – und das ist wirklich einzigartig –, dass Monty Roberts mich über all die Jahre langsam an die Dinge heranführte. Mit keinem Menschen hat er nach eigener Aussage jemals so eingehend und lange zusammengearbeitet. Genau wie die Pferde bereitete er mich sukzessive auf die nächsten Aufgaben vor. Es begann damit, dem Pferd das Halfter anzulegen, ging über das Führen zum Roundpen, die Vorauswahl, das Einreiten, das Verladen und weiter in kleinen Schritten bis zu dem Punkt, an dem ich heute bin. Er gab mir in einer unvergleichlichen Weise Raum und damit die Möglichkeit, mich in meinem eigenen Tempo zu entwickeln.

Auf unserer Deutschland-Tournee 2004 machten wir in Berlin Station. Monty hatte eine Studentin aus den Vereinigten Staaten mitgebracht, die ebenfalls Instruktorin war. Bislang hatte ich bei den Veranstaltungen vor einem rund 600-köpfigen VIP-Publikum die Starter präsentiert. Anschließend gab es eine kleine Unterbrechung mit Autogrammstunde, bevor die Veranstaltung vor großem Publikum begann, die Monty allein bestritt.

In Berlin überraschte er mich. Zum ersten Mal sollte nicht ich die Starter für die VIPs vorführen, sondern die Amerikanerin. Ich fiel aus allen Wolken. Hatte ich etwas falsch gemacht? Woher dieser Sinneswandel? Es hatte doch bislang jedes Jahr eine Steigerung meiner Aufgaben gegeben. Montys Antwort verschlug mir die Sprache: »Ich will nicht, dass du vor 600 Leuten arbeitest, sondern vor 6000.«

Monty Roberts gab mir ein sehr schwieriges Pferd, einen Verlader. Ich weiß, was das für ihn bedeutete, welche Dimension die Entscheidung hatte, mich in die Hauptvorführung zu nehmen. Erst im Rückblick werden mir die einzelnen Stufen der Steigerung bewusst. Er hat mir in genialer Art und Weise erlaubt zu lernen.

Mit den Pferden in der Öffentlichkeit zu arbeiten hat mir nie etwas ausgemacht. Ob eine Person, 600 oder 6000 Menschen zusahen, machte für mich keinen Unterschied. Ich versank in der Konzentration, sobald wir das Roundpen betreten hatten. Außer dem Pferd und mir existierte nichts mehr, wichtig war nur diese Einheit zweier Mitglieder einer Herde. Wenn es aber so weit war, dass Monty Roberts das Publikum aufforderte, »einen großen Applaus für meine Instruktorin in Deutschland, Andrea Kutsch«, zu spenden, wollte ich regelmäßig im Erdboden versinken. Monty gab mir diesen Rahmen immer wieder, und ich lernte viel bei den großen Veranstaltungen. Doch mein Weg führte in eine andere Richtung.

Bereits auf unserer ersten Tournee 2000 hatte ich einen Übersetzer für Monty gefunden, der uns noch heute begleitet. Rasmus Bartel ist fast immer dabei, wenn seine Tätigkeit als Tierarzt es erlaubt.

Bei einem Auftritt in der Wiener Stadthalle wurden 10000 Zuschauer erwartet – ein großer Abend. Kurz vor der Veranstaltung teilte Monty mir mit, dass Rasmus abgesagt habe. Ich könne doch an seiner Stelle die amerikanischen Kommentare für die Zuschauer ins Deutsche übersetzen. Kein Problem. Gerne. Wir machten zum ersten Mal einen Soundcheck zusammen, scherzten, lachten. Normalerweise geht dem Auftritt von Monty Roberts eine Einführung voraus, die ähnlich wie bei einem amerikanischen Boxkampf den Hauptakteur des Abends ankündigt. Musik, eine Fanfare, Scheinwerferspot… »Und hier kommt er… der Mann, der mit den Pferden spricht: Monty Roberts!«

Wir waren bereit für den Abend, und ich freundete mich gerade mit der Rolle der Übersetzerin an. An der Seite auf einem unscheinbaren Hocker nimmt das Publikum den Dolmetscher kaum wahr. Kein Job im Rampenlicht also. Beiläufig fragte ich Monty: »Und wer macht das Intro?« »Du natürlich. Du bist die Übersetzerin.« – »Was? Ich? Unmöglich!«

Als wir im Eingangsbereich der Halle standen, drückte er mir das Mikrofon in die Hand. Ich wusste nichts mehr. Wo waren all die Jahreszahlen geblieben, die ich bis eben noch auswendig gekannt hatte: Beginn der Arbeit mit Pferden, das erste Buch… Was sollte ich bloß sagen? Ich brachte keinen klaren Gedanken zustande. Seit drei Jahren hörte ich den Intros zu, eigentlich sollte das alles kein Problem sein. War es aber. Monty zeigte mir, wie man das Mikrofon halten musste. Der größte Anfängerfehler sei, meinte er, dass man das Mikro zu weit weg vom Mund hält. Dass man also den Kopf dreht und das Mikrofon nicht mitnimmt – dann hören einen die Leute nicht mehr. »Gewöhn dir gleich an, das Mikrofon direkt vor die Lippen zu halten.« – »Ja, ja.«

Ich gab mein Bestes. Adrenalin rauschte durch meinen Körper, die Hand zitterte so, dass das Mikrofon unkontrolliert hin und her schwang. Unmöglich, es ruhig zu halten. Monty fragte mich: »Was stimmt nicht mit dir?« Ich stammelte etwas von »Nichts« und »Ich kann das nicht tun, ich bin so aufgeregt«. Was für eine Blamage – und das hier in der ausverkauften Wiener Stadthalle. Ich war unfähig, vor das Publikum zu treten und »Hallo Wien!« zu rufen. Die Chance, dass ich genau in dem Moment vergessen würde, wo wir waren, stieg gegen 100 Prozent. Bestimmt würde ich gleich »Hallo Zürich« sagen.

Ein Albtraum. Monty stellte sich neben mich, amüsierte sich köstlich und sagte: »Atmen, gleichmäßig atmen. Stell dir vor, du sprichst mit einem Pferd.« Tolle Idee. Ich hatte kein Pferd dabei. Konnte ich nicht mit einem Pferd da rausgehen? Monty legte seine Hand auf meinen Rücken und atmete mit. Beschwörend: »Atmen, atmen, du kannst das hier tun.« Er war die Ruhe selbst. Langsam ging das Adrenalin zurück, ich atmete meinen Puls runter. Ich atmete tief in den Bauch hinein. Dann schwebte ich strahlend in die voll besetzte Halle und sagte mit glasklarer Stimme: »Hallo und guten Abend hier in der Stadthalle in Wien...« Es lief fantastisch. Vorher hatte ich Monty noch gefragt, was ich sagen sollte. »Das ist mir ganz egal« war seine Antwort. »Geh einfach raus und hab Spaß.«

Dieses Heranführen an die Dinge, das langsame Konfrontieren mit neuen Situationen, Schritt für Schritt – obwohl es doch jedes Mal wie ein Sprung ins kalte Wasser war, wenn der entscheidende Moment kam: Es ermöglichte mir eine unglaubliche Art des Lernens aus mir selbst heraus. Immer wenn wieder eine mehrmonatige Tournee zu Ende war, schickte mich Monty Roberts nach Hause zurück. Und jedes Mal hatte ich mich weiter von der Welt entfernt, in der das Wissen um die gewaltfreien Trainingsmethoden nichts galt. Die Auseinandersetzung mit den Menschen, die ihre Augen davor verschlossen, begleitete zuverlässig die einzelnen Phasen meines Lernens, Arbeitens und Lehrens.

Als ich nach zwei Jahren an Montys Seite seine erste deutsche Instruktorin werden sollte, schien mein Traum in Erfüllung zu gehen. Endlich! Mein Ziel schien auf einmal zum Greifen nahe. Und ich war durch nichts und niemanden von der Vorstellung abzubringen, dass ich die Menschen in Deutschland mit den Methoden von Monty Roberts, mit der Tatsache, dass wir in der Arbeit mit Pferden weder Peitsche noch Sporen brauchen, begeistern würde.

Es gab zwei Lager: einerseits überzeugte Anhänger und andererseits auch das genaue Gegenteil. Zahlreiche Menschen dachten – und sagten das auch ganz offen: »Die hat nicht mehr alle Tassen im Schrank. In Kalifornien ist sie komplett durchgedreht und verrückt geworden.«

Ich wurde wieder einmal mit der Tatsache konfrontiert, dass sich die Menschen oft nur widerstrebend auf neue Ideen einlassen. Es reicht keineswegs aus, ein Pferd, das seit Jahren nicht auf einen Anhänger geht, in wenigen Minuten zu verladen, um Menschen zu überzeugen. Ich stieß auch häufig auf Ablehnung, persönliche Anfeindungen sowie blanken Hohn und Spott. Viele waren wohl nicht bereit, sich neuen Ideen zu öffnen, geschweige denn, die eigenen Verhaltensmuster zu überdenken. Warum aber funktionierte unsere Methode? Der Zufall und tausend andere Gründe mussten als Erklärungen herhalten.

Ein Beispiel macht das deutlich: Ich wurde angerufen, weil bei einem Bauern in der Nähe ein Pony nicht auf den Anhänger gehen wollte. Ich fuhr hin, um das Pony zu verladen. Die Vorbereitungen waren schnell getroffen. Ich fuhr den Hänger in die Halle, baute die Gitterelemente auf und begann mit meiner Arbeit. Mit skeptisch verschränkten Armen stand der Bauer daneben und beobachtete mich. »So kann ich auch ein Pferd verladen, das ist ja keine Kunst«, pöbelte er mich an und lachte. »Das ist doch nicht schwer, ein Kinderspiel.« Warum?, dachte ich. Wenn es doch so einfach geht, warum tun Sie es dann nicht? Warum können Sie dieses Pony dann seit Jahren nicht auf einen Hänger führen?

Eine andere Geschichte ereignete sich in Cuxhaven. Eine Frau war mit ihrem Pferd dorthin in den Urlaub gefahren. Nun ging es nicht mehr auf den Hänger, sie konnten also nicht zurückfahren. Die Frau rief mich an und sagte mir, sie stehe vor einem unlösbaren Problem. Als ich ankam, waren die Gartengarnituren und die Bierkästen für die Neugierigen schon bereitgestellt. Viele waren vor mir da gewesen, um das Pferd zu verladen, darunter etliche Trainer. Es wurde in wildem Durcheinander gefachsimpelt, wie das Tier auf den Anhänger zu bewegen sei. Jeder der Anwesenden wusste alles, und zwar besser. Nach dem Film *Der Pferdeflüsterer* hatte eine Welle selbst ernannter Experten den Markt überflutet. Genau dieses Kaliber von Besserwissern war hier bereits erfolglos angetreten.

Mir schien die Situation uneindeutig und nicht optimal. Ich wollte mich zurückziehen und sagte, ich könne nur in einem professionellen Umfeld und bei entsprechender Ruhe arbeiten. Mittlerweile hatten angeblich zehn Leute versucht, das auch schon von Tierärzten komplett sedierte Pferd auf den Hänger zu schieben. Immer mehr Menschen aus dem kleinen Dorf und vom benachbarten Campingplatz versammelten sich um den Schauplatz, setzten sich mit ihrem Bier dazu und warteten gespannt, was passieren würde. Ich ließ mich überreden zu bleiben, obwohl mir das Szenario ganz und gar nicht behagte.

In all dem Tumult und trotz der sensationslüsternen Menge konzentrierte ich mich auf das Pferd, machte ein JOIN-UP und führte das Tier nach kürzester Zeit relativ problemlos etwas abseits auf den Anhänger. Die Reaktion der Umstehenden überraschte mich. Einige Zuschauer zeigten gelangweiltes Schulterzucken. »Das hätte ich auch gekonnt!«, rief ein anderer. Langsam zerstreute sich der Pulk. Nach unzähligen gescheiterten Versuchen und nervenaufreibenden Stunden folgte mir das Pferd beim ersten Versuch auf den Hänger, und niemand war beeindruckt. Kein Wort des Dankes, kein Staunen, nichts. Ein psychologisches Phänomen.

Pferde

Als ich begann, bei Monty Roberts zu studieren, wurde mir nach und nach die unglaubliche Dimension seines Wissens um die Natur und Kommunikation der Pferde bewusst. Aber ich hatte nicht die leiseste Ahnung davon, wie weit mein Wissen eines Tages das bereits Erlebte und Begriffene übersteigen würde. Dass ich sogar über das von Monty Roberts und Crawford Hall Vermittelte hinaus weiterlernen würde, entzog sich völlig meiner Vorstellungskraft.

Ich betrat einen neuen Raum, in dem ich mich mit kindlichem Staunen umsah. Und nach diesem ersten Raum öffnete sich ein zweiter und danach wieder einer und so weiter. Immer eine neue Ebene, und jede einzelne muss ich durchwandern, um zur nächsten zu gelangen, wo das Lernen wieder von vorn beginnt.

Monty Roberts nahm mich an der Hand und geleitete mich behutsam durch die einzelnen Räume seines Wissens. Er gab mir Anleitung, um mich die entscheidenden Schritte dann allein tun zu lassen. Er erkannte in jedem Moment, wie weit ich war und wann ich für den nächsten Raum, die nächste Ebene bereit sein würde. Vielleicht nicht bewusst, aber intuitiv handelte er genau richtig. In all den Jahren, die ich an der Seite von Monty Roberts arbeitete und lernte, war es ein Satz, der uns begleitete und der das, was unsere Arbeit ausmacht, auf den Punkt bringt: Unsere eigentlichen Lehrer sind die Pferde.

Jedes einzelne Pferd, mit dem ich gearbeitet habe, wurde mir zu einem wertvollen Lehrer. Jedes schärfte mit seiner individuellen Persönlichkeit meinen Blick für seine Natur, die Methodik, das partnerschaftliche Miteinander und immer wieder auch für die eigenen menschlichen Schwächen.

PEPPER

Das Pferd Pepper begegnete mir zum ersten Mal auf Monty Roberts' Flag Is Up Farms. Ein Fall, der mir gleich am Anfang des Lernens mehr über mein eigenes Ego offenbarte und zu denken gab, als es unzählige Sätze aus dem Mund eines Trainers gekonnt hätten. Noch heute berichte ich meinen Schülern von diesem Pferd, das mich so ungerührt auflaufen ließ, vor mir selbst so bloßstellte und dennoch so berührte.

Ich war nach Kalifornien gereist, um den ersten fünftägigen Kurs bei Monty Roberts zu absolvieren. Aufgeregt, neugierig und nicht ohne eine Portion Skepsis kam ich an. Hier sollte es viel Neues zu lernen geben, dafür war ich offen. Aber schließlich – so fand ich – hatte ich nicht erst seit gestern mit Pferden zu tun und konnte einiges an Know-how und Horsemanship in die Waagschale werfen. Wir würden sehen. Zumindest trat ich nicht als blutige Anfängerin an. Und das konnten auch ruhig alle Anwesenden zur Kenntnis nehmen.

Crawford Hall fuhr in seinem Rollstuhl vor die Klasse. Gespanntes Schweigen. Unauffällig taxierte jeder der Kursteilnehmer seine Mitschüler. Dass sich hier niemand als Laie sah, stand jedem Einzelnen ins Gesicht geschrieben. Crawford Hall begann, uns in die Grundlagen des JOIN-UP und die Erkenntnisse von Monty Roberts einzuweihen. Weder ich noch die anderen hatten zu diesem Zeitpunkt auch nur den Hauch einer Ahnung, welcher Schatz an Wissen hier auf uns wartete. Niemals hätte ich für möglich gehalten, wohin mich dieser Kurs in meinem Leben letztendlich führen würde.

Crawford Hall sprach über die Natur des Pferdes, über die Regeln der nonverbalen Kommunikation. Er gab mir neue Begrifflichkeiten an die Hand wie »Time-Feel-and-Balance«. Er berichtete, wie Monty die Sprache Equus entdeckt und analysiert hatte. Es war spannend, und die Neugier, endlich selbst an einem Pferd auszuprobieren, was dieser Cowboy da erzählte, ließ mich und die anderen immer ungeduldiger werden.

Als Crawford und seine beiden Assistentinnen, Sarah Kreutzer und Anna Twinney aus England, die Details von JOIN-UP erklärten, schrieb ich jedes Wort mit und studierte später die unzähligen Zitate. Hier bekam ich auf einmal das Recht, mit Pferden auf der lang ersehnten partnerschaftlichen Ebene zu arbeiten, ohne das Gesicht zu verlieren. Ich wurde aufgefordert, mir immer wieder selbst Fragen zu stellen wie: Will das Pferd wirklich gern bei mir bleiben, wenn es frei ist? Das Pferd erhielt ein Mitspracherecht. Die Devise »Es muss machen, was du sagst, und darf mit dem, was es selbst tun will, nicht durchkommen« verschwand mehr und mehr aus dem gedanklichen Repertoire. Die körperliche Umsetzung war jedoch ein anderes Kapitel.

Ich begann danach zu fragen, warum sich das Pferd in einer bestimmten Situation so und nicht anders verhält. Oftmals ging ich davon aus: »Ich habe einen Fehler gemacht. Ich habe sein Verhalten nicht rechtzeitig verstanden, um eine negative Reaktion zu verhindern.« Dies erlaubte eine völlig neue Sicht auf das Individuum Pferd und die Kooperation mit ihm. Die Grundhaltung verlangte, das Pferd in jeder einzelnen Situation zu beobachten und es auf psychologisch kompetente Weise um eine Leistung zu bitten, sodass es selbst entscheiden konnte: »Ein Pferd, das etwas wirklich tun will, wird immer viel besser sein als ein Pferd, das zu einer Leistung gezwungen wird.«

Ein Pferd ist in der Lage, Entscheidungen selbst zu treffen. Es unterscheidet zwischen dem, was es als natürlich, und dem, was es als unnatürlich empfindet. Und wenn es die Wahl hat, wird es eher dem natürlichen und sicheren Weg folgen. Das alles ist nichts Neues, wie Kritiker und vermeintliche Gegner meinen, und dennoch änderte sich die ethische und emotionale Grundhaltung, den Fehler nicht mehr im Pferd zu suchen, sondern bei sich selbst. Das beeindruckte mich zum einen zutiefst und wurde zum anderen eine meiner schwierigsten Lernaufgaben. Wer lässt sich schon gern von einem Pferd kritisieren, das bis gestern ohnehin »nichts zu sagen hatte«. Seine Hauptaufgabe bestand bislang darin zu funktionieren. Nun wurde die Ebene der Zwei-Wege-Kommunikation betreten – dies forderte das eigene Ego heraus.

Endlich ging es los. Wir sollten ins Roundpen gehen und unser erstes eigenes JOIN-UP machen. Ganz allein, jeder mit einem anderen Pferd. Und obwohl ich mich etwas irritiert dagegen sträubte, meldete sich eine leise, hartnäckige Stimme, die mir mitteilte: Ich werde eine hervorragende Leistung erbringen und das JOIN-UP zu einem leuchtenden Paradestück machen. Schließlich sei ich eine versierte Pferdekennerin. Alles klar, kein Problem.

Der Freund, mit dem ich nach Kalifornien gereist war, sollte beginnen. Sein Pferd war ein kleiner grauer Hengst, der den Eindruck erweckte, kein Wässerchen trüben zu können. Er strahlte eine geradezu niedliche Offenheit aus. Das Prozedere konnte beginnen; Crawford Hall und seine Assistentinnen hatten uns ein solides Grundwissen vermittelt, jeder einzelne Schritt des JOIN-UP war erklärt und gut vorbereitet worden. Im Geiste ging ich noch einmal alles durch, während mein Freund mit dem grauen Hengst das Roundpen betrat. Es herrschte gespannte Stille.

Er ging Auge in Auge mit dem Pferd, es bewegte sich von ihm weg. Eine winzige Bewegung mit der Longe in der Hand, und der Hengst galoppierte. »So wenig Druck wie eben nötig«, hatte Crawford gesagt. Es funktionierte. Mein Freund konnte das Pferd wenden, verlangsamen, es senkte den Kopf, gab die erwarteten Signale der Unterwürfigkeit und Annäherung, wandte sich dem Menschen zu und folgte ihm. Das Pferd kommunizierte optimal, alles verlief absolut schulbuchmäßig und wie am Schnürchen. Crawford Hall nickte anerkennend. An dieser Vorstellung gab es kaum etwas auszusetzen.

Als Nächste kam ich an die Reihe, und mit einiger Überraschung registrierte ich, wie eine unangenehme Adrenalindusche durch meinen Körper rauschte. Warum? So schwer konnte das doch nicht sein, wenn schon mein Freund eine solch glorreiche Vorstellung abgeliefert hatte. »Pferde lügen nicht und geben einem immer genau das, was man in der Lage ist zu erfragen.« Dieser Satz übte einen inneren Druck auf mich aus, eine perfekte Leistung zu bieten. Ich wurde mit dem Hinweis vorbereitet, dass mein Pferd ein bisschen langsamer sei und nur etwas leisten würde, wenn man es »richtig« machte. Natürlich wollte ich es richtig machen. Was sonst? Dazu war ich ja hier. Um diesen Amerikanern aufzuzeigen, wie gut wir Deutschen mit Pferden umgehen können. Ich lächelte und sagte selbstbewusst: »Keine Sorge. Das ist für mich kein Problem.« Eine Aussage, die den Druck nicht unbedingt minderte.

Dann holte ich das Pferd aus dem Stall. Vor mir stand Pepper, ein kleines dreijähriges Quarterhorse. Ein kurzer Nebensatz von Crawford Hall hätte vielleicht meinen Geist erreicht, wenn das Adrenalin nicht längst alle Zugänge blockiert hätte. »Du musst es richtig hinkriegen, damit er sich bewegt. Gib nur so viel Druck wie nötig«, gab er mir mit auf den Weg. Das hieß, sobald das Pferd auf einen Stimulus reagierte, zum Beispiel auf das Auswerfen der Longe, musste ich diesen entfernen, sobald das Pferd die angefragte Leistung erbrachte. So konnte ich ihm einen positiven Lerneffekt vermitteln. Wie gesagt, ich würde dieses kleine Pferdchen schon auf den rechten Weg bringen, davon war ich überzeugt. Da hatte ich schon Schlimmeres erlebt.

Also volle Konzentration. Den wichtigen Rat »Nur so viel Druck wie nötig« würde ich beherzigen. Wenn das Pferd in die richtige Richtung galoppiert, lasse ich Druck nach. Ich nehme den Stimulus weg, damit das Pferd versteht, dass es auf die ausgeworfene Longe hin vorwärts gehen soll. Falls ich das nicht tue, wird es das Signal nicht verstehen und ignorieren.

Ich nahm Pepper am Halfter und führte ihn ins Roundpen. Ein wunderbares JOIN-UP war die Vorlage, ich wollte es nun ebenfalls schaffen. Ich baute einen immensen inneren Druck auf und ballte die Faust. Diesem Pferd und den Zuschauern würde ich es zeigen. Pepper würde durch dieses Roundpen rasen wie noch nie zuvor. Voller Entschlossenheit und hoch erhobenen Hauptes machte ich die Longe im Roundpen los. Mein Adrenalinpegel lag im roten Bereich.

Mit pompöser Geste stierte ich Pepper direkt in die Augen und schlug mit aller Kraft die Longe gegen mein Bein. Nichts. Ich warf die Longe um meinen Körper, schlenkerte, ruderte, rannte auf der Stelle. Der Puls schnellte nach oben, mein Kopf hatte die Farbe einer reifen Tomate. Berühren durfte ich das Pferd nicht. Ich begann, auf der Stelle zu trampeln, schwenkte die Longe über meinem Kopf, blieb hängen. Ein Riesentheater, ich tobte, geriet völlig außer Atem, wedelte wie wild um mich, rannte, hüpfte, sprang...

Pepper machte gelangweilt einige Schritte in Richtung Hufschlag und schaute mich verdutzt an. Nach geschlagenen zehn Minuten Inferno hatte ich dieses Pferd im Schneckentempo ein paar Meter bewegt. Ich fühlte blanke Verzweiflung, puren Zorn. Was war das für ein bescheuertes Pferd? Eine Zumutung. Ich blickte hoch auf die Tribüne, die das Roundpen umgab. Nicht ein einziger Kopf war mehr zu sehen. Doch, einer: Crawford Hall konnte nicht in Deckung gehen, da er im Rollstuhl saß. Er grinste von einem Ohr zum anderen, meine Mitschüler lagen hysterisch lachend hinter der Balustrade und schnappten nach Luft. Was für eine Blamage!

Was ich zu diesem Zeitpunkt noch nicht wusste: Wir können Pferde im Prozess des JOIN-UP niemals zu etwas zwingen. Sie sind frei. Sie haben die Wahl, stehen zu bleiben oder zu gehen. Auch wenn es sich nur um einen Kreis von 16 Meter Durchmesser handelt, verfügen sie im Roundpen doch über eine immense Entscheidungsfreiheit. Ich war es gewohnt, Pferde an Stricken und Halftern zu halten, auf Pferden zu sitzen und mit vielen reiterlichen Hilfen zu agieren.

»Du musst das Pferd bitten, etwas zu tun, du kannst es nicht zwingen«, hatte Crawford Hall noch gesagt, bevor wir vom Klassenraum zum Roundpen aufgebrochen waren. Anders als meine sich immer noch lachend am Boden wälzenden Mitschüler hatte er schnell wieder zu einer ernsten Miene zurückgefunden. Er musterte mich von oben bis unten und sagte: »Jetzt haben wir ein Problem.« Ach, wer hätte das gedacht! Das einzige Problem, das wir hier haben, ist dieser lahme, unverschämte Gaul, dachte ich in der Tiefe meines Herzens.

Gelassen erklärte Crawford Hall: »Wir haben hier ein typisches Beispiel für Desensibilisierung vor uns. In der Regel möchten wir bei dem Pferd erreichen, dass es eine konditionierte Verknüpfung zwischen einem Reiz (in diesem Fall dem Geräusch und der Bewegung der Longe) und der physischen Reaktion (in diesem Fall der Vorwärtsbewegung) herstellt. Wenn die Reaktion auf einen Reiz jedoch keine Rückmeldung erhält, also nicht deutlich gemacht wird, ob das Verhalten des Pferdes erwünscht oder unerwünscht, sinnvoll oder nicht sinnvoll, erfolgreich oder nicht erfolgreich ist, kommt es nicht zu der gewünschten Verknüpfung.«

Später sollte es für mich von großer Bedeutung sein zu erlernen, auf welche Weise ein Pferd belohnt werden muss, damit bestimmte Verhaltensweisen nicht nur schnell, sondern auch langfristig aufgebaut werden. Im Fall Pepper ging es zunächst einmal darum, den ersten

Schritt in die richtige Richtung nicht zu übersehen. Auch wenn aus meiner Sicht momentan allenfalls ein erster Galoppsprung von diesem kleinen Monster belohnenswert gewesen wäre. Zu sehr war diese Grundhaltung in mir verankert: fordern anstatt sofort zu belohnen, wenn das Gegenüber etwas richtig machte.

Im Lauf der Zeit stellte ich viele Aussagen der Reitlehrer meiner Kindheit infrage. Zu diesem Zeitpunkt konnte ich jedoch die Worte von Crawford Hall kaum aufnehmen. Ich wollte ihm und dem Rest der am Roundpen versammelten Gruppe nun erst recht beweisen, dass ich das Szenario kontrollieren konnte. Ich kochte innerlich vor Wut. »Du hast dem Pferd die ersten kleinen Schritte in die richtige Richtung nicht durch das Nachlassen von Druck positiv bestätigt. Es weiß daher nicht, dass diese Schritte – seien sie auch noch so klein – schon richtig waren. Um die Desensibilisierung wieder zu löschen, brauchen wir einen anderen Stimulus, damit das Pferd erneut auf dich reagiert«, erklärte Crawford höchst professionell.

Gesagt, getan. Sarah reichte mir eine knisternde Regenjacke und eine Cola-Dose mit ein paar klappernden Steinchen ins Roundpen. In epischer Breite erklärte mir Crawford noch einmal, was ich zu tun hatte und wie »es« geht. Anna Twinney, die Deutsch sprach, übersetzte. Vielleicht handelte es sich um ein rein sprachliches Kommunikationsproblem, war die Vermutung. Ich sollte leise mit der Jacke knistern und, wenn das nicht ausreichte (»Nur so viel Druck wie nötig«), die Cola-Dose mit den Steinen zu Hilfe nehmen.

Sobald Pepper den ersten Schritt machte, sollte ich zur Belohnung den Stimulus und damit den Druck entfernen, damit er verstünde, was von ihm verlangt wurde. Dann könnte ich den Stimulus dosiert und geduldig neu ansetzen. Aber größer als groß und lauter als laut geht nicht, also vorsichtig dosieren und immer eine Stufe nach oben offen halten. Mein Gott, es ging darum, ein frei laufendes Pferd in den Trab zu bekommen. Da hatte ich schon anderes in meinem Leben gesehen und durchgesetzt.

Meine Ungeduld und Unbeherrschtheit schraubten sich rekordverdächtigen Höchstwerten entgegen. Ich war auf 180 und konnte mein Ego nur mit äußerster Mühe unter Kontrolle halten. Der Druck wurde unerträglich. Mittlerweile waren auch die Köpfe meiner Mitschüler wieder hinter der Balustrade aufgetaucht. Ihre Augen schweiften gespannt zwischen mir und Crawford hin und her. Ich versuchte mich zu beruhigen und auf den zweiten Versuch zu konzentrieren.

Die Knisterjacke an meinem Körper raschelte sanft vor sich hin. Was nun passierte, war genau dasselbe Spiel wie vorhin, nur mit neuen Karten. Wie wahnsinnig knisterte ich mit der Jacke, wirbelte die Dose durch die Luft und drückte sie so fest in meiner Faust, dass die Steine darin schon nach wenigen Augenblicken kein Geräusch mehr produzieren konnten. Ich war außer mir, Pepper reckte sich gemächlich, ich fuchtelte weiter und weiter, produzierte den größten Lärm, den mein neues Equipment herzugeben imstande war. Schließlich bequemte sich Pepper zu ein paar trägen Schritten.

Irgendwie gelang es Crawford Hall durch perfekte Anleitung, mir doch noch zu einem Gefühl von JOIN-UP zu verhelfen. Diesen magischen Moment hatten alle meine Mitschüler erlebt, als ihre Pferde wohl erzogen und artig an ihre Schulter schritten. Es ist der Moment, in dem der Mensch prüft, ob das Pferd freiwillig bei ihm sein möchte. Wenn ja, folgt das Pferd dem Menschen und überlässt ihm die Rolle des Anführers. Als ich von Crawford zu hören bekam, ich möge nun meine Schulter so drehen, dass ich im 45-Grad-Winkel zum Pferd stünde und es zum JOIN-UP kommen könne, stolperte Pepper wohl eher versehentlich an meine Seite. Nach einer gefühlten Ewigkeit kam ich aus dem Roundpen. Meine Niederlage war perfekt.

Am nächsten Tag bestand ich darauf, ein anderes Pferd für das JOIN-UP zu bekommen, und beschwerte mich sogar bei den Organisatoren des Kurses über die Pferde. Schließlich müsse es doch möglich sein, für Übungszwecke Pferde zu benutzen, die einigermaßen mitmachten und anständig waren. »Eine Unverschämtheit«, wetterte ich. »Und das in einem Kurs, der für die Teilnehmer mit erheblichen Kosten und großem organisatorischem Aufwand verbunden ist. So viel Geld und dann so ein Pferd.«

Crawford Hall hörte sich alles mit großer Ruhe an, sah mir lächelnd ins Gesicht und sagte: »Eines Tages wirst du diesem Pferd noch sehr dankbar sein und verstehen, was du von ihm lernen solltest.« Er behielt Recht. Allerdings war ich zu diesem Zeitpunkt noch Lichtjahre davon entfernt, den Sinn seiner Worte zu begreifen.

Pepper verschaffte mir ein Schlüsselerlebnis in mehrfacher Hinsicht. Viele Jahre später bekam ich selbst von Seminarteilnehmern Anschuldigungen unterschiedlichster Art wegen misslungener JOIN-UPs zu hören, denen ich verständlicherweise nur lächelnd begegnen konnte. Nicht selten passierte es mir, dass ich aufgrund der Auswahl vermeintlich falscher Pferde böse Rechtsanwaltsschreiben erhielt, in denen sogar die Kursgebühren zurückgefordert wurden. Wer sich in seiner Ehre gekränkt fühlt, kann mit ungeahnter Härte auftreten.

Auch Crawford und sein Team mussten sich später mit dem einen oder anderen Beschwerdebrief aus Deutschland beschäftigen. Es ging sogar einmal so weit, dass einige meiner Kursteilnehmerinnen, die sich ungerecht beurteilt fühlten, forderten, Monty Roberts höchstpersönlich möge ihnen die Prüfung abnehmen, um sich von ihrer Leistung zu überzeugen. Die Damen behaupteten, ich hätte ihnen ein »falsches« Pferd zugeteilt. Dass diese Briefe und Forderungen den Amerikanern ein Lächeln ins Gesicht zauberten, kann man sich vorstellen.

Die Pferde als Lehrer zu akzeptieren und ihr Urteil anzunehmen ist vielleicht eine der schwierigsten Prüfungen, wenn man ihre Sprache erlernen will. Pferde lügen nicht. Sie nehmen jeden für das, was er tut, und nicht für das, was er ist. Ein Pferd kommt nicht ins Roundpen und denkt: Wow, das ist ja Mister oder Misses Soundso. Da muss ich mich gut benehmen.

Pepper kam mit Sicherheit nicht ins Roundpen und sagte sich: Mensch, das ist ja diese versierte Pferdefrau aus good old Germany. Der erteile ich jetzt mal eine kleine Lektion. Wäre ich mit dem Ziel ins Roundpen gestiegen, ihm beizubringen, auf das unkontrolliert auf und ab springende menschliche Wesen nicht zu reagieren, es einfach nicht zu beachten, ich hätte einen Orden bekommen. Von diesem Standpunkt aus betrachtet, hatte ich eine hervorragende Leistung gebracht.

Monate waren ins Land gezogen. Nach dem ersten Kurs war ich aus organisatorischen Gründen kurz nach Deutschland zurückgereist. Wenig später begann bereits der Introductory-Kurs auf Flag Is Up Farms. Ich war trotz des tief gehenden Erlebnisses mit Pepper unendlich fasziniert, lernte, hatte schon viel verstanden und einen vagen Eindruck davon bekommen, welch enormes Wissen hier in Kalifornien auf mich wartete.

Wieder saßen Monty, Crawford, Anna und Sarah vor der Klasse. Ich sog ihr Wissen in mich auf, mein Englisch verbesserte sich zusehends, keine Aussage ließ ich undurchdacht. An einem dieser wunderbaren Seminartage sollten wir die Zwei-Wege-Kommunikation im JOIN-UP-Prozess mit dem Pferd verbessern sowie kleinste Gesten sehen und analysieren lernen. Crawford verteilte die Pferde für das anstehende JOIN-UP. Während er lächelnd in seinem Rollstuhl auf mich zurollte, sagte er: »Für dich habe ich eine ganz besondere Überraschung. Ein Superpferd für das JOIN-UP. Hol ihn von der Weide, wir treffen uns dann im Roundpen.«

Vergnügt und voller Vorfreude ging ich zur Weide, um mein Superpferd zu holen und vor Crawford eine anständige Vorstellung abzuliefern. Ganz hinten am Zaun stand es, ich konnte nicht erkennen, wer es war, näherte mich – und bekam einen Schock. Da stand er und schaute mich mit ebenso großen Augen an wie ich ihn: Pepper!

Meine Knie wurden weich. Das durfte doch nicht wahr sein! Dann besann ich mich auf all das, was ich in den vergangenen Monaten gelernt und gesehen hatte und was ich tief in meinem Herzen bewahrte. Ich ging auf Pepper zu, lobte ihn, indem ich ihn sanft zwischen den Augen streichelte, und überlegte, ob er mich wohl erkannte. Demut brauchst du, schoss es mir durch den Kopf. Du kannst ein Pferd nur bitten und niemals zwingen. Bitte, Pepper, geh zumindest im Schritt. Mich vor den anderen zu blamieren oder nicht, das spielte für mich nun keine Rolle mehr. Ich musste niemandem etwas beweisen. Diese Ära hatte ich längst hinter mir gelassen. Es ging um Pepper und um nichts anderes.

Was ich wollte, war, dass er sich wohl fühlte und Vertrauen fassen konnte. Lass uns ein Team sein und zusammenarbeiten, bitte, Pepper, bettelte ich im Geist das kleine Quarterhorse an. Und immer wieder sagte ich mir den Satz vor, an den ich entgegen meiner jahrzehntelangen Prägung zu glauben begonnen hatte: Wenn ein Pferd nicht tut, wonach wir fragen, dann liegt es am Menschen – nicht am Pferd.

Pepper zeigte nicht einen Funken mehr Elan, als man von ihm gewohnt war. Wir schlichen ins Roundpen. Jeder Meter fühlte sich an wie eine Ewigkeit. Wir haben Zeit, Pepper, keine Hektik. Ich blieb ganz ruhig, ließ mich weder von mir selbst noch von den umstehenden Menschen und auch nicht vom Erfolgsdruck aus meiner Konzentration reißen. Wir haben Zeit, Pepper.

Ich wollte darauf warten, dass er etwas richtig macht, um ihn zu belohnen, und nicht darauf, dass er etwas falsch macht, um ihn zu bestrafen. Nicht den kleinsten Schritt in die richtige Richtung wollte ich übersehen. Ich würde ihn durch Nachlassen von Druck belohnen – sofern es mir überhaupt gelänge, Druck aufzubauen.

Pepper und ich wagten uns in die Mitte des Roundpen vor. Ich lobte ihn zwischen den Augen, langsam und mit Bedacht. Ich empfand eine tiefe Demut und fühlte, dass ich das Pferd nur bitten, aber zu nichts zwingen würde. Nicht die geringste Spur von Aggression kam in mir auf. Plötzlich nahm ich alles wahr, jeden Atemzug, ja jeden seiner Herzschläge. Es war das Wesentliche, was ich auf einmal zu sehen glaubte.

Ohne jede Bedingung, ohne jede Forderung aneinander standen wir beide im Roundpen.

Ein Zitat von Hermann Hesse ging mir durch den Kopf: »Unrein und verzerrend ist der Blick des Wollens. Erst wo wir nichts begehren, erst wo unser Schauen reine Betrachtung wird, tut sich die Seele der Dinge auf, die Schönheit… Im Augenblick, da das Wollen ruht und die Betrachtung aufkommt, das reine Sehen und Hingegebensein, wird alles anders. Der Mensch hört auf, nützlich oder gefährlich zu sein, interessant oder langweilig, gütig oder roh, stark oder schwach. Er wird Natur, er wird schön und merkwürdig wie jedes Ding, auf das reine Betrachtung sich richtet. Denn Betrachtung ist nicht Forschung oder Kritik, sie ist nichts als Liebe. Sie ist der höchste und wünschenswerteste Zustand unserer Seele: begierdelose Liebe.«[10]

Tatsächlich verließ mich jedes Wollen, und ich empfand in dem Moment, in dem ich Pepper so hingebungsvoll betrachtete, eine starke Zuneigung für ihn. Ich spürte sein weiches Fell in meiner Handfläche, als ich ihn zwischen den Augen streichelte. Mit all meinen Sinnen nahm ich ihn wahr, wie er da vor mir stand. Er wartete ab und betrachtete mich so wie ich ihn. Eine reine Seele, die nichts Böses im Sinn hat.

Zeit spielte keine Rolle. Stille. Entspannt atmete ich ein und aus, bereit, ihn loszumachen. Ich ging Auge in Auge mit dem Pferd und gab ihm damit das Signal, sich von mir zu entfernen. Ich wartete ab, sah ihn geduldig, aber fest und bestimmt an, und zaghaft entfernte er sich einige Schritte von mir. Meine Hand öffnete sich, ganz leicht ließ ich die Longe gegen mein Bein fallen. Pepper achtete auf jede meiner Gesten, jeden meiner Herzschläge. Ganz langsam bewegte er sich auf meinen Augenkontakt und die geöffnete Hand hin von mir weg. Seelenruhig bummelte er auf den Hufschlag des Roundpen zu. Ich wagte kaum zu atmen, verhielt mich ganz ruhig und bewegte mich im Takt seiner Bewegungen in der Mitte des Roundpen vorwärts.

Pure Dankbarkeit stieg mir aus tiefstem Herzen bis in die Halsgegend. Unfassbar, er bewegte sich tatsächlich. Eine Runde lang ging Pepper im bedächtigen Schritt. Ich war glücklich und genoss diesen starken Moment, nachdem sich das Pferd bei unserem letzten Treffen absolut nicht von der Stelle bewegt hatte. Vielleicht ging ja auch ein Trab? Oder war das zu übermütig? Zu viel verlangt? Zu erkennen, wann es genug war, wann ich den Bogen überspannte, würde eine meiner späteren Lektionen werden.

Nach wie vor war meine Hand geöffnet, und ich stand Auge in Auge mit dem Pferd. Nun folgte eine leichte Bewegung mit der Longe. Pepper trabte an. Auf der Tribüne hätte man eine Stecknadel fallen hören können. Ich erhöhte den Druck, lief schneller, ging aufrechter, Pepper galoppierte. Ich konnte ihn wenden, verlangsamen, beschleunigen – nur durch einen Blick und die geöffnete Hand.

Pepper kommunizierte mit mir. Er gab die ersten Anzeichen für das JOIN-UP. Er verkleinerte den Zirkel, ich wickelte die Longe auf. Er senkte den Kopf, leckte und kaute. Ich verlangsamte meine Schritte, machte eine runde Schulter, schloss die Finger, verließ längst die Ebene der Ein-Weg-Kommunikation und tauchte ein in die Welt der Zwei-Wege-Kommunikation mit einer anderen Spezies.

Als ich den Blick absenkte und die Schulter auf einen 45-Grad-Winkel stellte, kam Pepper auf mich zugelaufen. Ich spürte jeden seiner Schritte, und als ich seinen ruhigen Atemzug in meinem Nacken fühlte, drehte ich mich mit gesenktem Blick herum und streichelte ihn sanft zwischen den Augen.

Noch immer diese absolute Stille auf der Tribüne. Niemand sprach ein Wort, denn alle wussten, dass ich verstanden hatte. Ich wollte den Bereich des großen, niemals endenden Lernens betreten. Als mir Crawford Halls Augen mit einem warmen Blick begegneten, in den sich ein kleiner Funken Stolz zu mischen schien, war ich förmlich überwältigt.

Pepper hat mir eine unvergessliche Lehre erteilt: Du musst und kannst das Pferd als deinen Lehrer zulassen, wenn das endlose Lernen beginnen soll. Wenn du es richtig machst, ist es der beste Lehrer, den du dir überhaupt wünschen kannst. Er hat mich auch gelehrt, dass man nur dann wirklich mit einem Pferd arbeiten kann, wenn man sein Herz gewinnt. Alles andere würde ich heute als eine rüde Art von Handwerk bezeichnen.

Dem entspricht auch, was Clemens Laar in seinem Klassiker *Meines Vaters Pferde* beschrieben hat: »Das Pferd, das man wirklich reiten will, muss man lieben, und erst wenn jene geheimnisvolle Beziehung sich einstellt, die man plump Gegenliebe nennen möchte, weil die Sprache keine andere Bezeichnung für dieses Geheimnis kennt, dann erst erfährt der Reiter letzte und völlige Hingabe des Tieres an jeden seiner Herzschläge, ja, an jeden seiner Gedanken, und das erst wird dann zum Reiten. Man sieht es gar nicht so selten. Je nach dem Standpunkt, den man einnimmt, spricht man dann von einem begnadeten Reiter, man faselt dann etwas von Sitz; Klügere sprechen von einem besonders verfeinerten Einfühlungsvermögen. Und rundum wird das

Ganze reiterliche Harmonie genannt. Und ist doch nur Herz.«[11]

Noch etwas hat Pepper mir beigebracht. Viel später, als ich bereits Tausende von Menschen in den Methoden der nonverbalen Kommunikation und in der Sprache der Pferde unterrichtet hatte, wurde ich immer wieder gefragt, wie ich Menschen ertrüge, die mit einem verkehrten Selbstverständnis an die Pferde herantreten, die Gewalt ausüben, ungeduldig sind und an ihrem eigenen Ego scheitern. Doch dank Pepper weiß ich, dass man erst selbst in eine derartige Situation kommen muss, um daran zu wachsen.

Ich versuche zuweilen Menschen, die ich unterrichte, an einem gewissen Punkt mit dem richtigen Pferd zu konfrontieren. Aber nur wenige sind willens, sich durch einen solchen Tiefpunkt zu arbeiten. Die meisten machen in letzter Konsequenz äußere Umstände oder den Lehrer verantwortlich und hören auf zu lernen. Sie verharren in einem einsamen Monolog, der die wahre Zwei-Wege-Kommunikation unmöglich macht.

Pepper ist nur eines von vielen Pferden, die mich einer Prüfung unterzogen und dazu gebracht haben, weiter zu wachsen. Er hat mir gezeigt, was menschliches Ego ist und wie es sich anfühlt. Pepper hat mir mein eigenes Ego vor Augen gehalten und mir verraten, dass ich es besser draußen lassen sollte, um wirklich erfolgreich mit Pferden und Menschen zu arbeiten.

Als ich das erste Mal mit Pepper das Roundpen betrat, scheiterte ich. Ich habe den ersten Schritt nicht belohnt, den Druck nicht nachgelassen, den Stimulus nicht entfernt. Warum? Keineswegs weil es meinem Herzen entsprochen hätte, sondern weil es mir so beigebracht worden war: Du hast die Kontrolle, das Pferd darf dir nicht auf der Nase herumtanzen. Zeig ihm, wer der Chef ist. Setz dich durch.

Erinnere ich mich an meine Kindheit, so erscheint mir die Art, wie ich damals intuitiv mit Pferden umgegangen bin, heute als absolut richtig. Ich kannte die Gefühle der Dankbarkeit und Demut. Doch weil sich diese Worte in unserer Zeit nicht unbedingt großer Beliebtheit erfreuen, weil der sportliche Anspruch von außen, aber auch der eigene Stolz und Ehrgeiz zusammenwirken, lernte ich, sie anders einzuordnen. Oftmals wird Demut mit Schwäche assoziiert, dabei zeugt sie vielleicht doch eher von Stärke. Ist es nicht eine Ironie des Schicksals, dass ich als Kind gefühlsmäßig in vielen Punkten richtig lag und einen Umweg von vielen Jahren gehen musste, um an diesem Punkt anzukommen, an dem sich der Kreis wieder schließt?

Am Ende des zweiten Kurses auf Flag Is Up Farms bekam jeder neben der offiziellen Urkunde ein so genanntes Fun certificate – ein Spaß-Zertifikat, in dem die persönlichen Eigenarten, Stärken und Schwächen der Teilnehmer in vollendeter Form auf die Schippe genommen wurden. Humor hatte hier immer seinen festen Platz. Mein Fun certificate zeichnete mich als »enthusiastischsten Teilnehmer« des Kurses aus. Da war wohl etwas dran. Ich wollte lernen, aufnehmen, verstehen, noch mehr begreifen. Ich bekam das, wonach ich so lange gesucht hatte, und musste weder schlafen noch ausruhen. Ich strahlte und leuchtete, als hätte man mich an eine Emotionssteckdose angeschlossen.

Nach den ersten Erfahrungen mit JOIN-UP hatte ich das unbestimmte Gefühl, tief im Innersten berührt zu sein. Ich wusste plötzlich, dass ich ganz am Anfang stand. Und ich begriff mit erschütternder Klarheit, dass sich hinter dem, was wir hier in den ersten Seminaren lernten, etwas ungeheuer Großes, Weitreichendes verbarg. Hier passierte etwas auf einer Ebene, die ich in meinem ganzen Leben noch nicht betreten hatte. Vielleicht war es diese Erkenntnis, die mich emotional so berührte. Es öffnete sich eine neue Tür. Dies war mehr als ein exotischer Ausflug nach Kalifornien.

Das Fun certificate traf einen wichtigen Punkt, und der Enthusiasmus sollte mich nicht mehr verlassen. Dabei ging es letztlich bei allem nur um eines: fachliche Kompetenz. Ich begann zu ahnen, dass das, was ich hier im Begriff war zu lernen, die Kraft hatte, alles bisher Gewesene umzuwälzen: mich selbst, die Pferde und die Menschen in meinem Umfeld.

Shut down

In den Jahren der großen Tourneen mit Monty Roberts reiste ich am Ende einer Tour immer wieder nach Deutschland zurück. Ich führte beinahe ein Leben aus dem Koffer, flog oft zwischen Europa und den Vereinigten Staaten hin und her. Wenn wir nicht unterwegs waren, trainierte ich Pferde im heimischen Hamburg. Vor allen Dingen Pferde mit Verladeproblemen hatten es mir angetan. Vielleicht empfand ich hier die Gegensätze am schärfsten, die Fronten am härtesten. Ein Pferd, das eine bestimmte Sache verweigerte, zu verstehen und das Verschwinden der Angst zu beobachten, beeindruckte mich sehr. Zu sehen, wie sich in der Psyche des Tieres plötzlich etwas löst, sobald ich das negative assoziative Bild gefunden habe und beginne, an einer positiven Überlappung zu arbeiten, fasziniert und berührt mich noch heute.

Wir sind in der Lage, ein Pferd von einem Trauma oder einer Phobie zu befreien, also von einem für das Pferd emotional nicht zu bewältigenden Angstzustand, der immer Unsicherheit in einem Lebewesen verursacht. Denn selbst wenn das Thema Verladen gerade nicht auf der Tagesordnung steht, schwingen bei einem verladeschwierigen Pferd immer Angst und Unsicherheit mit. Der Anblick eines Hängers reicht aus. Es wäre zu strategisch für das Pferdegehirn, Schlüsse zu ziehen, ob das Angst einflößende Gefährt heute Aufgaben bereithält oder nicht.

Selbst wenn ich das Pferd nur an einem Anhänger vorbeiführe oder -reite, können angstbesetzte Bilder in seinem Kopf entstehen. Oftmals verlieren solche Pferde schon nach einer verhältnismäßig kurzen Trainingsphase die Angst. Dieses Überwinden von Angst ist für mich immer wieder ein bewegendes Erfolgserlebnis.

Es kam also wieder einmal ein Pferd mit Verladeschwierigkeiten zu mir. Der Besitzer ließ keinen Zweifel daran, dass das Pferd im Fall eines Misserfolgs nur noch eine einzige Lkw-Tour in seinem Leben machen würde. Aber ich könne mit ihm arbeiten, solange ich wolle. Zeit spiele keine Rolle. Unsere Pferdespedition lieferte das Sportpferd in hervorragender Abstimmung mit dem Lkw an. Da Pferde über ein assoziatives Gedächtnis verfügen, also Informationen in Bildern abspeichern, kann es vorkommen, dass sich das Pferd dennoch auf einen Lkw verladen lässt, wenn der Angstzustand in Verbindung mit einem Anhänger entstanden ist. Hier bietet sich der visuellen Wahrnehmung ein anderes Bild, das keine negativen Assoziationen mit sich bringt.

»Der geht nicht in den Anhänger«, sagte der Besitzer. Was hieß das genau? Im Lauf der Zeit hatte ich gelernt, dass menschliche Definitionen von »auf den Hänger gehen«, »manchmal auf den Hänger gehen«, »hoch gehen, aber rückwärts wieder rausschießen« und »nicht auf den Hänger gehen« ein erstaunlich weites Feld waren. Da gab es Besitzer, die überzeugt waren, ihr Pferd gehe auf den Hänger. Für sie war das stundenlange Probieren vorher schon zur Selbstverständlichkeit geworden. Andere behaupteten, ihr Pferd würde einen Transporter niemals betreten, und es stellte sich heraus, dass nur ein minimales Detail korrigiert werden musste. In einem solchen Fall liegt oft keine ausgeprägte Phobie vor, sondern ein konditioniertes Verhalten. Der Mensch kann das Pferd beispielsweise mit falscher Zuneigung und Futter versehentlich dahingehend trainieren, auf der Rampe stehen zu bleiben.

Überhaupt bietet das Verladeszenario allein schon Stoff genug für ein ganzes Buch. Wenn man die Sprache der Pferde erlernt, wird einem bewusst, welches Verhalten, das der Mensch an den Tag legt, es dem Pferd teilweise nahezu unmöglich macht, auf den Anhänger zu gehen – selbst wenn es wollte.

Wir wissen, dass die Haltung Auge in Auge mit dem Pferd, eine frontale Schulterstellung und die in Richtung Pferd geöffnete Hand das Pferd von uns weg bewegen. Ebenso wissen wir, dass Pferde, sobald Druck ausgeübt wird, in den Druck hineingehen. Da es sich um ein instinktives, angeborenes Verhalten handelt, können sie sich auch nicht eigenständig daraus befreien, es sei denn, es wird ihnen antrainiert. Die wenigsten Menschen berücksichtigen diese Form der nonverbalen Kommunikation im täglichen Umgang mit dem Pferd.

Übersetze ich aus menschlicher Sicht das Szenario, sagt der Mensch dem Pferd im Verladetraining manchmal, es möge bitte draußen bleiben. Er steht im Anhänger und starrt dem Pferd in die Augen; seine Schulterhaltung und seine aufsteigende Aggression signalisieren dem Pferd, dass es nicht hereinkommen soll. Zieht er zudem am Strick, geht das Pferd in den Gegendruck und zieht rückwärts.

Spannt der Mensch dann Longen hinter dem Pferd oder packt gar Besen, Schaufeln und sonstiges Werkzeug aus, um das Pferd von hinten nach oben zu zwingen, sorgt er für so viel Druck, dass das Pferd sich nach hinten in den Druck hineinwirft. Meist hat der Kampf erst ein Ende, wenn die Besen zerbrochen, die Longen gerissen sind und der Bauer seinen Trecker wieder in die Garage gestellt hat. Eine Form misslungener Kommunikation. Wenn Menschen die Sprache der Pferde erlernen, bleibt das aus.

Das Pferd, mit dem ich es hier zu tun hatte, ging laut seinem Besitzer gar nicht auf den Anhänger. Ich begann, mit ihm zu arbeiten, und schuf mit dem JOIN-UP die wichtige Vertrauensgrundlage. Beim ersten Versuch, das Pferd auf den Hänger zu führen, folgte es mir schnell und hektisch, lief in den Anhänger hinein und schoss, sobald es oben stand und die vordere Wand sah, in panischer Angst rückwärts wieder von der Rampe.

Es geht um assoziative Bilder. Das Pferd denkt nicht in Formen wie »Ich will nicht auf den Anhänger gehen und fahren«. Es folgt dem Ablauf der Bilder. Sobald dieses Tier die vordere Hängerwand sah, wurde die Verknüpfung mit einem negativ besetzten Bild hergestellt, und das Pferd reagierte, indem es rückwärts aus dem Anhänger floh.

Mehrere Male versuchte ich, das Pferd im Hänger zu einem kurzen, ruhigen Stehen zu bewegen. Vergeblich. Wenn es rückwärts ging, blieb ich im Hänger stehen und behielt einen leichten Zug auf dem speziell von Monty Roberts entwickelten Dually-Halfter bei. Immer wieder reagierte das Pferd darauf und kam ins Innere des Anhängers. Sobald aber die Frontwand vor ihm auftauchte, gab es kein Halten mehr, und es stürmte zurück.

Wie konnte ich das Pferd erreichen und ihm erklären, dass das Zurückgehen nicht mehr nötig war? Wie konnte ich ihm vermitteln, dass sich das negative Bild durch ein positives ersetzen ließ? Der Knackpunkt musste die Frontwand sein, sonst würde es nicht so willig, wenn auch sehr hektisch, die Rampe hinaufgehen und in den Anhänger einsteigen.

Nichts klappte, ich kam nicht weiter. Also lieh ich mir einen Anhänger mit einem so genannten Frontausstieg. Das Problem der plötzlich auftauchenden Wand wollte ich umgehen. Der Wallach sollte in der Vorwärtsbewegung bleiben können und den Hänger durch den Frontausstieg verlassen. Das musste die Lösung sein. Hier fiele der auslösende Stimulus weg, das negative Bild wäre überlistet. Das Vorwärtsgehen durch den Anhänger könnte den Rückwärtsimpuls des Pferdes vielleicht überlappen.

Ein Lösungsansatz beim Training von Pferden mit Verladeschwierigkeiten ist, dass wir das Pferd auf dem Anhänger drehen, also vorwärts hinauf- und auch vorwärts wieder hinunterführen. So halten wir den Energiefluss und die Bewegung des Pferdes aufrecht, und es kommt nicht zum unerwünschten Stehenbleiben und zu der daraus resultierenden eigenmächtigen Rückwärtsbewegung. Dafür war dieses athletische Sportpferd jedoch zu groß. Selbst die Sondergröße meines Hängers ließ eine Drehung des Pferdes nicht zu. Es musste ihn im Rückwärtsgang verlassen.

Ich begann am Frontausstieg zu arbeiten. Schnell und hektisch wie zuvor lief der Wallach auf den Anhänger. Dort blieb er keine Sekunde stehen, sondern stürzte weiter nach vorn und sprang in einem Satz über die vordere Rampe aus dem Anhänger. Dabei drückte er mich zwischen Rampe und Fahrzeug, wo ich versuchte, den ausschlagenden Hinterhufen zu entkommen. Eine lebensgefährliche Situation! Es gab keine Kontrollmöglichkeit. Wie konnte das passieren?

Die Angst auslösende Wand war weg. Es musste folglich einen weiteren Stimulus für das Verhalten des Pferdes geben. Mehrfach probierte ich, das Pferd nur für einen Augenblick auf dem Anhänger in eine ruhige Position zu bekommen. Vergeblich. Ich kam zu dem Schluss, dass ein großer Lkw den nötigen Raum bieten würde, um das Pferd darin zu drehen und mit diesem veränderten Bewegungsablauf weiterzuarbeiten.

Aber auch die neuen Anläufe scheiterten. Wieder rannte der Wallach die Rampe hinauf und verfiel, sobald er oben im Lkw war, in einen panikartigen Angstzustand. Er tobte, warf sich gegen die Wände, und wieder geriet ich in eine äußerst gefährliche Situation, als mich das Pferd zwischen sich und der Außenwand des Lkw einquetschte.

Crawfords Ratschläge gingen mir durch den Kopf: nur so viel Druck wie nötig. Und gib ihm die Möglichkeit, irgendetwas richtig zu machen, wofür du ihn belohnen kannst. Aber was und wie sollte ich belohnen, wenn ich nicht einmal ein kurzes Stillstehen auf dem Anhänger zustande brachte?

Die Arbeit stockte, ich hatte nicht die geringste Verbesserung erreicht. Immer wenn die Frontwand auftauchte, drehte das Pferd völlig durch. Was sollte ich tun? Gab es eine Möglichkeit, den Fluchtweg nach hinten zu begrenzen? Was lief hier falsch?

Zwei Monate lang arbeitete ich unermüdlich mit diesem Pferd, das nicht im Traum daran zu denken schien, sein Verhalten auch nur ansatzweise zu ändern. Ratlosigkeit machte sich bei mir breit. Ich hatte meines Wissens doch alles bedacht, keinen Fehler gemacht, und trotzdem landete ich immer wieder in einer Sackgasse. Lag es vielleicht doch am Pferd und nicht an mir? Stimmte es vielleicht doch nicht, dass die Methoden der nonverbalen Kommunikation zwischen Mensch und Pferd immer funktionieren, sobald der Mensch in der Lage ist, sie richtig anzuwenden? Ich hatte keine Antworten parat und drehte mich immer weiter in die Spirale des Zweifels hinein.

Es ist niemals das Pferd, sondern immer der Mensch. Die Worte von Crawford Hall saßen tief. Hatte ich etwas Wichtiges übersehen? Ich wurde trotz aller Zweifel an der Methode und bei diesem Pferd den Gedanken nicht los, irgendetwas nicht zu begreifen. Ich brauchte Hilfe und begann, Crawford Hall E-Mails nach Kalifornien zu schreiben. Wie unsinnig das war, sehe ich heute, wo Menschen mich anschreiben und mir ihre Problemfälle detailliert schildern. Es ist nicht möglich, ein Pferd zu beurteilen, ohne das Tier selbst zu fühlen oder zumindest das Handling des Besitzers gesehen zu haben. Eine Tatsache, die mir auch Crawford Hall als

Antwort vor Augen hielt. Er schlug alles vor, was ich bereits erfolglos versucht hatte: einen Anhänger mit Frontausstieg, einen großen Lkw, auf dem ich das Pferd drehen konnte, und den konsequenten Einsatz des Dually-Halfters.

Alles hatte ich ausprobiert. Er könne aus der Distanz keinen anderen Rat geben, so Crawford. Und dennoch benötigte ich einen Außenstehenden, der mit meiner Vorgehensweise vertraut war und mir sagen konnte, welches Detail ich übersah und noch nicht in der Lage war zu lesen.

Nun kam mir die Idee, den Wallach im Training zu filmen und Crawford dieses Video zu schicken. So könnte er das Pferd studieren, als arbeitete er selbst mit ihm, und sehen, wo das Problem lag. Das hoffte ich. Also begann ich zu filmen, hielt den kleinsten Trainingsabschnitt akribisch fest, dokumentierte jede Verhaltenssequenz. Aber auch das brachte Crawford keine neuen Einsichten. Er blieb dabei: Ein Pferd ist aus der Distanz nicht zu beurteilen. Man muss es mit eigenen Augen sehen, man muss es fühlen. Das leuchtete mir überhaupt nicht ein. Er sah doch sonst alles.

Heute verstehe ich den Unmut der Menschen, wenn auch ich ihnen sagen muss, dass ich das Verhalten eines Pferdes aufgrund von Beschreibungen oder Videoaufzeichnungen nicht analysieren kann. Es geht einfach nicht. Damals konnte ich nicht glauben, dass es so schwer sein sollte.

Ich packte mein Videoband ein und machte mich auf den Weg nach England zu Sarah Kreutzer, die mir in der Anfangszeit bei Crawford Hall eine wertvolle Lehrerin gewesen war. Sie musste eine Lösung haben, wir mussten eine Möglichkeit finden, dieses Pferd von seiner

Phobie zu befreien. Anhand des Videos würde ich ihr schließlich noch präzise Details zu dem Fall geben können.

Sarah bereitete es größte Freude, mir zu helfen. Gemeinsam schauten wir uns meine Aufzeichnungen wieder und wieder an. Sie bemühte sich um konstruktiven Rat. Aber wirklich neue, wertvolle Erkenntnisse kamen dabei nicht heraus und schon gar nichts, was uns Hoffnung auf eine plötzliche »Heilung« des Pferdes gemacht hätte. Grundsätzlich war es wunderschön, mit Sarah in Erinnerungen zu schwelgen und die eine oder andere Erfahrung auszutauschen. Was jedoch meinen Verladekandidaten betraf, war die Reise umsonst gewesen. Enttäuscht und ratlos machte ich mich wieder auf den Weg nach Hause. Andererseits nahm ich die verblüffende Erkenntnis mit, dass ich offenbar an einem Punkt angelangt war, an dem mich von außen niemand mehr belehren konnte, sondern vielmehr nur ein Austausch unter Gleichgesinnten zustande kam. Nun musste ich anfangen, mich auf mein Gefühl, mein Wissen und meine Gedanken zu verlassen. Ich musste das Problem selbst lösen – mithilfe des Pferdes: selbstständig kombinieren und im Geiste weiterentwickeln, was bereits vorhanden war.

Es stellte sich als unmöglich heraus. Ich begann wieder zu schwanken und wurde immer sicherer, dass es in diesem Fall doch am Pferd liegen musste. Die Methode funktionierte eben nicht immer. Es liegt niemals am Pferd, sondern immer am Menschen, hatte Crawford gesagt. Vielleicht irrte er sich dieses Mal einfach. Allen Überlegungen und Zweifeln zum Trotz hielt mich irgendetwas davon ab aufzugeben, spornte mich vielmehr zum Weitermachen an.

Ich wälzte mich in schlaflosen Nächten auf der Suche nach einer Lösung, ging jedes kleinste Detail immer wieder durch, legte Montys Trainingsvideos neben meine eigenen Aufzeichnungen, um eventuell auf minimale Abweichungen zu stoßen. Nichts. Ich trat auf der Stelle, und der Aufwand, den ich betrieben hatte und betrieb, wuchs ins Astronomische. Jeden Moment des Tages kreisten meine Gedanken um dieses Pferd.

Als ich eines Morgens in den Stall kam, wurde mir schlagartig bewusst, wie viel ich schon versucht und gegeben hatte. Wie ein Film liefen die letzten Wochen noch einmal vor meinem inneren Auge ab. Und welch armseliges Ergebnis war dabei herausgekommen. Heute musste es sein. Heute musste ich den Durchbruch schaffen. Ich war zu allem entschlossen und nicht bereit, die vergeblichen Versuche bis in alle Ewigkeit fortzusetzen: Heute bleibst du in diesem Anhänger stehen. Ich werde so lange mit dir arbeiten, bis du für den Bruchteil einer Sekunde ruhig stehen bleibst, bis ich dich loben und die Trainingseinheit mit einem positiven Lerneffekt beenden kann.

Doch dieses Training begann so erfolglos, wie das letzte aufgehört hatte. Keine Veränderung. Nichts. Unzählige Male ging das Pferd auf den Hänger und schoss rückwärts wieder hinaus, sobald die Wand vor ihm auftauchte. Ich blieb auf dem Anhänger stehen. War der Kopf des Pferdes außerhalb des Anhängers, konnte ich mit dem Dually-Halfter dagegen halten. Der Wallach riss den Kopf zurück, kam erneut in den Hänger und floh gleich wieder rückwärts.

Es war zum Verzweifeln. Ich hatte aufgehört, die Versuche zu zählen. Immer wieder schoss er zurück, immer wieder brachte ihn das Dually-Halfter dazu, auf den Anhänger zu gehen. Plötzlich blieb das Pferd wie angewurzelt vor der Rampe stehen. Es atmete ganz ruhig, der Kopf senkte sich, der Hals hing lang und schlaff nach vorn, jeder Widerstand des Pferdes war verschwunden. Es hatte aufgegeben.

Dieses Phänomen nennen wir Shut down. Das Pferd resigniert, wehrt sich nicht mehr und überlässt sich seinem Schicksal. Ich war entsetzt. Ich fühlte mich grauenvoll. Was hatte ich getan? Ich konnte das Pferd in seiner Welt mit meinen Signalen nicht erreichen, keinen Zugang zu ihm finden und ihm nicht helfen. Ich hatte es dazu gebracht, sich aufzugeben und zu kapitulieren. Keine der Lösungen, die ich ihm anbot, konnte es verstehen. Keine der Lösungen, die es mir anbot, war für mich akzeptabel. Ich verstand das Pferd nicht, konnte seinen mentalen Zustand nicht richtig deuten. Endstation?

Tränen stiegen mir in die Augen. Nun wusste ich, wovon Crawford in seinen Vorlesungen berichtet hatte. Nie zuvor hatte ich einen solchen Shut down erlebt. Ich war verantwortlich für diesen Zustand der völligen Kapitulation, und ich konnte mich dafür bei dem Pferd nicht verbal entschuldigen. Ich klammerte mich daran, was Crawford gesagt hatte: »Be sure that you always can undo what you did.« Pferde vergessen nichts, aber sie vergeben alles. Das hatte ich nicht gewollt. Nicht so.

Klar war mir unter diesen Umständen nur eines: Ich hatte das Shut-down-Phänomen herbeigeführt und musste eine positive Note finden, auf der ich enden konnte. Falls ich mit diesem Ergebnis aufhörte, würde das Pferd glauben, dass sein Verhalten richtig war, und große Schwierigkeiten machen, wenn ich es am nächsten Tag wieder mit dem Anhänger konfrontieren sollte.

Ich konnte den Wallach so nicht entlassen, auf keinen Fall. Meine Position dem Pferd gegenüber hatte sich vollständig verändert. Ich fühlte tiefe Trauer, Demut und Respekt vor diesem Lebewesen. Ich wollte es bitten, einen letzten, positiven Schritt zu tun, für den ich es loben und mit dem ich den heutigen Tag beenden konnte. Bitte, nur einen Schritt.

Ich begann wieder am Nullpunkt. Wir standen immer noch vor der Rampe. Mit einem Mal kehrte eine große, neue Ruhe ein. Und dann tat er es. Der Wallach hob seinen linken Huf und setzte sein Bein vorsichtig auf den Rand der Hängerrampe. Das war es. Mir fiel wieder ein, dass – wenn man alles auf einer Skala von eins bis zehn verzeichnet – der wichtigste Schritt der von null zu eins ist. Hatte ich daran überhaupt sorgfältig gearbeitet? Oder hatte ich Lernschritte übersprungen? Ich lobte ihn und brachte ihn umgehend in den Stall. Ich gab ihm die verdiente Ruhe, die er als Belohnung empfinden musste und die das weitere, intrinsische Lernen ermöglichte.

In heller Aufregung fuhr ich nach Hause, ein chaotisches Durcheinander an strategischen Gedanken und tiefen Emotionen im Kopf. Wenn das latente Lernen griff, würde das Pferd morgen an der Stelle des Trainings ansetzen, an der wir heute aufgehört hatten. Es würde einen Schritt auf die Rampe machen. Daran konnte man anknüpfen. Wir hatten eine Basis für das weitere Lernen geschaffen. Manchmal muss man einen Schritt zurückgehen, um einen Schritt weiter zu kommen.

Wie sich später im Gespräch mit dem Besitzer herausstellte, hatte der Wallach, bevor er zu mir kam, sieben Jahre lang keinen Anhänger betreten. Sein letztes Erlebnis mit diesem Transportmittel war gewesen, dass er sich darin am Strick aufgehängt hatte und bei geöffneter Rampe schwer verunglückt war. Eine tief sitzende Phobie, deren Heilung vielleicht mit diesem ersten kleinen Schritt eingeläutet werden konnte.

Am folgenden Tag bedeutete es einen enormen Kraftaufwand für mich, nach einer schlaflosen Nacht wieder vor dieses Pferd zu treten. Noch immer war ich betroffen von dem Zustand, den ich herbeigeführt hatte. Ich war am Vortag auf eine emotionale Ebene geraten, auf der mein Ego dominierte: Tu, was ich sage. Diese Haltung führte die Zwei-Wege-Kommunikation ad absurdum und machte sie vollkommen unmöglich.

Die neue Trainingseinheit verfolgte das Ziel, an das gestrige Ergebnis anzuknüpfen und einen weiteren kleinen Teilerfolg zu erreichen – einen weiteren Schritt auf der Rampe und wieder herunter. Es ging darum, die Basis zu schaffen, den Schritt von null zu eins zu ermöglichen. Einen Schritt hinauf, einen runter.

Wir gehen auf den Anhänger zu, der Wallach bleibt abrupt vor der Rampe stehen und gibt wieder im Hals nach. Latentes Lernen vom Feinsten. Sofort nimmt er die vermeintliche Erfolgsposition vom Vortag ein. Ich atme, konzentriere mich, strahle Ruhe aus. Durch Zug am Halfter bitte ich ihn, einen Schritt nach vorn zu tun. Genauso vorsichtig wie am Tag zuvor setzt er einen Fuß auf die Rampe. Wieder warte ich, halte Puls und Adrenalinspiegel niedrig und ziehe ganz leicht am Dually-Halfter. Da ist er, der zweite Schritt. Wir stehen ganz ruhig auf der Rampe, ich belohne ihn, indem ich ihn wieder rückwärts hinunterrichte. Ich lobe das Pferd zwischen den Augen und beende die Trainingseinheit.

Pferde nehmen nichts zurück, was sie einmal gegeben haben. Ich hoffe, dass er am nächsten Tag genau zwei Schritte auf die Rampe setzt, wir in Ruhe stehen bleiben, hinuntergehen können und wieder hinauf. Ruhe und Sicherheit an jedem Punkt der Rampe. Kontrolle von Richtung und Geschwindigkeit. Genau so passiert es. Am Tag darauf geht das Pferd ruhig auf den Hänger zu, macht zwei Schritte auf die Rampe und wartet auf die Resonanz. Das ist Lernen. Dadurch, dass der Wallach anfangs problemlos hinaufgegangen war, hatte ich übersehen, dass ich an dieser Stelle den kleinsten gemeinsamen Nenner suchen musste.

Alle Pferde, mit denen ich gearbeitet, und alle Inhalte, die ich erlernt hatte, passierten vor meinem inneren Auge Revue. Mein ganzes Wissen sammelte sich an der Oberfläche, und alle psychologischen Faktoren stimmten. Das Pferd war wieder positiv eingestellt und vollkommen bei der Sache. Ich arbeitete weiter und setzte mir das nächste Ziel, ganz im Sinn einer Politik der kleinen Schritte. Nun konnte ich die Methode wirken lassen und beobachten, welchen Input von meiner Seite das Pferd mit welchem Output beantwortete. Wenn wir lernen, das Pferd mit Geduld zu lesen und zu analysieren, gelingt die Kommunikation.

Für mich ging es in diesem Fall mittlerweile um mehr. Es ging um mein eigenes weiteres Lernen, und ich wusste, dass dieses Pferd in mein Leben gekommen war, um mir eine notwendige Lektion zu erteilen. Es liegt immer am Menschen, nie am Pferd. Und es ist nicht schlimm, einen Fehler zu machen. Genau das hatte mir der Wallach beigebracht, indem er mir »vergab« und weitermachte. Jeder darf Fehler machen. Wichtig ist nur, daraus zu lernen.

Das weitere Training entwickelte sich positiv. Einen Schritt nach dem anderen ging der Wallach auf den Anhänger – und wieder hinunter. Wenn es mir gelänge, ihm an jedem Punkt der Rampe zu verstehen zu geben, dass wir nicht weiter gehen, als sein Adrenalinspiegel es erlaubt, würde er seine Phobie überwinden. Ich präsentierte ihm den Anhänger Schritt für Schritt auf eine Weise, die er emotional und physisch bewältigen konnte.

Ich begann vormittags und nachmittags mit ihm zu üben und ließ dazwischen ein paar Stunden der Ruhe verstreichen. Weil das Pferd von Anfang an sehr zügig, forsch und ohne jegliches Zögern auf den Anhänger marschiert war, ging ich davon aus, dass diese Phase unproblematisch war und erst das Erscheinen der Wand die panische Angst auslöste. Eine falsche Annahme, wie sich jetzt zeigte.

Das schnelle Rennen auf den Hänger besagte nicht, dass der Wallach damit kein Problem hatte. Im Gegenteil. Offensichtlich lag genau hier der Knackpunkt. Schon die Schritte über die Rampe waren für ihn negativ besetzt gewesen. Er trat eher die Flucht nach vorn an, vor einem Angststimulus, der von hinten nahen könnte. Die Besitzer bestätigten, dass es in der Vergangenheit von hinten Schläge mit allerlei verfügbaren Gegenständen gegeben hatte, um das Pferd in den Anhänger zu zwingen.

In der Arbeit konnte ich nun die kleinsten Bewegungen lesen und analysieren. Er hielt dem Fluchtverhalten stand, da seine Reaktionen bereits hier auf Resonanz stießen. In diesem psychisch kontrollierbaren Zustand, der die Angst aus der Situation nahm, ließen sich die negativen Bilder durch positive ersetzen. Er lernte, dass er mir an jedem Punkt der Rampe das Bestimmen von Richtung und Geschwindigkeit überlassen konnte.

Zentimeter für Zentimeter überwand er die Phobie und lernte, dass an keinem Punkt Gefahr drohte. An jedem einzelnen Punkt der für das Pferd angstbesetzten Situation vor dem wiederkehrenden Stimulus musste es wieder in Ordnung kommen, ebenso wie im Anhänger vor der Frontwand. Wenn ich das Pferd an jedem Punkt vorwärts und rückwärts kontrollieren konnte, musste es bei Angst nicht mehr ganz hinausfliehen. Es genügte, lediglich einen Schritt zurückzuweichen. Der Wallach wusste, dass er ein Mitspracherecht erhielt.

Sukzessive Annäherung. Plötzlich waren wir Partner und ein Team. Das Pferd konnte sich auf mich verlassen. Nach jedem positiven Schritt belohnte ich es. An jedem Teil der Rampe konnten wir nun ruhig stehen bleiben und wieder hinausgehen. Die Belohnung für das Pferd besteht im Entfernen des negativen Stimulus, in diesem Fall also darin, den Anhänger immer wieder verlassen zu können.

Eine Tatsache, die beim Verladen immer wieder zu großen Problemen führt, ist die nur bedingt strategisch angelegte Struktur des Pferdegehirns. Ein Pferd kann nicht abstrakt nachvollziehen, dass es einen Anhänger auch wieder verlassen kann. Es muss Schritt für Schritt lernen, vorwärts hinein- und rückwärts hinauszugehen. Fohlen liefern hier ein gutes Beispiel. Oft ist zu beobachten, dass sie wie selbstverständlich hinter der Mutter her in einen Transporter steigen. Ist die Fahrt jedoch beendet und das Fohlen soll rückwärts aussteigen, kann es in einen Angstzustand verfallen, weil es das Aussteigen noch nicht kennt. Die soziale Intelligenz dieser Tiere scheint häufig stärker entwickelt zu sein als ihr strategisches Denkvermögen.

Dieser Fall und dieses Pferd haben mich in meinem

eigenen Lernen ein großes Stück weitergebracht. Wann immer es später zu Schwierigkeiten kam und ein Pferd die von mir angefragte Aktion nicht ausführen konnte, war ich nun in der Lage, uns den Weg der Kommunikation und des gemeinsamen Lernens durch gegenseitiges Verständnis zu öffnen. Dadurch erledigten sich viele Probleme wie von selbst.

Auf einzigartige Weise wurden die Worte und Erklärungen meiner Lehrer von meinen Pferden bestätigt, sodass sich für mich ein immer umfassenderes Bild, ein immer tieferes Verständnis dieser Tiere ergab. Dies setzt sich bis heute fort, und jedes Pferd, mit dem ich arbeite, trägt seinen Teil dazu bei.

Die Oma

»Grüß Gott«, sagt die Stimme am Telefon. Süddeutsch, höflich, leise. »Wir haben da ein großes Problem. Ein sehr großes, genau genommen. Niemand kann uns helfen.« Eine Einleitung, die mir bekannt vorkommt. Ich höre Verzweiflung und ein Bitten in der Stimme, wie es nur Menschen haben, die mit ihrem Latein wirklich am Ende sind.

Es geht um ein Pferd, das Schwierigkeiten beim Verladen hat, aber jeden Tag von A nach B gefahren werden muss. »Wissen Sie, wir sind nicht so erfahrene Pferdeleute und sind uns nicht sicher, wie wir mit der Situation umgehen sollen.« Ob ich nicht kommen könnte, fragt die Frau vorsichtig. Nein, leider nicht, auf keinen Fall. Wir sprechen hier von einer Tour durch ganz Deutschland. Ich muss leider ablehnen.

»Wir wissen nämlich nicht, wie wir das Pferd zu Ihnen bringen könnten«, erklärt mir die Frau. Ich mache ihr den Vorschlag, dass mein Spediteur die Stute mit einem großen Lkw abholen könne. Dieser sei wegen seiner Größe gut geeignet, verladeschwierige Pferde zu transportieren. Es sei nur eine Frage der alles andere als unerheblichen Kosten. Die Dame ist begeistert. »Eine wunderbare Idee, so würden wir es gerne machen.« Gesagt, getan.

Der Spediteur, mit dem ich seit langem zusammenarbeitete, machte sich von Hamburg aus auf in Richtung Süden. Vor Ort klappte alles gut. Nach einem fünfstündigen Geduldspiel bestieg das Pferd den Lkw und blieb während der mehr als zwölfstündigen Fahrt im Rahmen seiner Möglichkeiten relativ ruhig.

Über 800 Kilometer, horrende Transportkosten und der ganze Aufwand… Das musste ja ein sensationelles Pferd sein, überlegte ich. Wahrscheinlich ein junges, sehr wertvolles Sportpferd, das regelmäßig ins Training gefahren werden musste.

Gespannt ging ich meinem neuen Klienten entgegen, als der Lkw auf den Hof rollte. Aus dem Führerhaus stieg eine völlig erschöpfte Dame mittleren Alters von erheblichem Körperumfang. Sie war schweißgebadet und mit ihren Nerven- und Kraftreserven offensichtlich am Ende. Nach Luft schnappend, ruderte sie auf mich zu, um sich überschwänglich dafür zu bedanken, dass sie kommen und ihr Pferd bringen durfte. »Jetzt wird bestimmt alles gut«, brachte sie noch leise hervor, dann musste sie sich setzen.

Ich begrüßte sie freundlich und schielte gespannt in Richtung Lkw-Rampe. Was musste das für ein Prachtgaul sein, dass diese Frau bis an ihre Grenzen ging, um mir das Pferd zu bringen? Der Spediteur hatte den Wagen geöffnet, der Schweif kam zum Vorschein, dann die Flanken und schließlich der Rest... Ich traute meinen Augen nicht. Mit offenem Mund starrte ich auf das Pferd, dann auf die Frau und wieder auf das Pferd.

Da stand sie, etwas gedrungen, mit riesigem Bauch, dicken Beinen, einem sagenhaften Senkrücken in Form der unteren Hälfte einer Null und mindestens 25 Jahre alt. Eine steinalte, total verbaute Oma. Oma, wie ich sie auch weiterhin zärtlich nannte, hatte folgendes Problem: Nach einigem Zögern und mehreren Anläufen ging sie in einen Anhänger, blieb zunächst ruhig stehen und entfesselte nach wenigen Augenblicken ein wahres Inferno. Mit ihrem ganzen Gewicht schmiss sich die alte Lady gegen die Trenn- und Außenwände, randalierte und tobte und warf sich wie von Sinnen so lange in dem Anhänger hin und her, bis er umkippte.

Zwei Transporter hatte Oma bereits gekippt, komplett zertrümmert und zu Brennholz verarbeitet. Ich sog die Luft ein. Warum um Himmels willen nahm diese Frau für so ein Pferd eine solche Tortur auf sich? Das Pferd war nicht einmal mehr reitbar. Sind Sie wahnsinnig?, hätte ich beinahe gefragt. Allein der Transport hierher hatte mindestens 1000 Euro gekostet. Warum machte sie das? Wo lag die Motivation? Warum schickten diese Menschen ein uraltes, zu nichts zu gebrauchendes Pferd durch die ganze Republik? Und vor allem, wohin wollten sie mit ihm fahren? Es handelte sich um ein typisches Gnadenbrotpferd. Das war mehr als deutlich. Vielleicht würde dieses Pferd nur noch wenige Jahre leben.

In sich zusammengesunken hockte die Besitzerin kurze Zeit später in meiner Stallgasse auf einem Strohballen. Ich fragte sie vorsichtig, warum sie all das mache. Ich hatte bereits viele wertvolle Sportpferde im Training gehabt, und auch deren Besitzer hatten keine Mühen gescheut, zu mir zu kommen. Aber das hier stellte alles andere in den Schatten.

Völlig abgekämpft und verschwitzt schaute mir die Dame mit lieben, treuen Augen ins Gesicht und begann, ihre Geschichte zu erzählen. »Wissen Sie, wir leben in den Bergen, abgelegen, in einem kleinen Haus. Zufällig kam ich mit meiner kleinen Tochter eines Tages an einem Schlachthof in unserer Nähe vorbei. Da stand die Stute, sie sollte geschlachtet werden. Meine Tochter sah das Pferd, lief zu ihm hin und ließ nicht locker, bis sie sich kurz darauf setzen durfte. Damit war es passiert. Nichts und niemand konnte sie mehr von diesem Pferd trennen. Die alte Dame wurde ihr ein und alles, ihr bester Freund und größter Kumpel – die Kleine lebte nur noch für dieses Pferd.

Es gab für uns keine andere Lösung, als das Pferd zu übernehmen. Aber hier ist das Problem. Unser Häuschen steht auf einem Hügel, die Pferdeboxen befinden sich direkt am Wohnhaus. Die Weide aber, auf die die Pferde täglich gehen, liegt am Fuß des Berges. Weil die Stute nun schon ›ein bisschen älter‹ ist, schafft sie den täglichen Weg vom Stall oben auf dem Berg zur Weide nicht zu Fuß. Auf dem Weg zur Arbeit lade ich oben die Pferde ein, fahre runter zur Wiese, lade die Pferde dort wieder aus und sammle sie abends nach der Arbeit wieder ein, um sie den Berg hinauf mit nach Hause zu nehmen.«

Ich bin platt. Die Besitzerin berichtet weiter. Nachdem Oma den ersten Hänger zerstört hatte, kaufte die Familie einen neuen, größeren Transporter, um die Pferde auf die Weide zu bringen. Erst sah es so aus, als fühle sich die alte Dame darin besser, doch dann kippte und zerlegte sie auch dieses Gefährt.

»Was soll ich denn machen?«, fleht mich die Frau an. Verzückt reitet die kleine Tochter jeden Tag im Schritt endlose Kreise und Schleifen auf der Weide. Es gibt nichts Schöneres für sie auf der Welt. Oma muss also auf den Anhänger gehen und diesen auch heil lassen. Jeden Tag den Berg runter auf die Weide und abends wieder nach Hause zu laufen schafft sie einfach nicht.

Ich sehe die Frau an. Hier geht es um echten emotionalen Druck. Ein Druck, der sich – gepaart mit der Erwartungshaltung der Besitzer mir gegenüber als ihrer letzten Hoffnung – natürlich auf mich überträgt. Aber, denke ich, so schwer kann das doch nicht sein. Natürlich werde ich dieses Pferd schnell und einfach verladen, sodass es auf dem Anhänger ruhig bleibt. Kein Problem.

Mit dem Training beginnen wir am nächsten Vormittag. Ich habe extra einen großen, robusten Anhänger ausgeliehen und bin absolut guter Dinge, was den Trainingserfolg angeht. Es müsste alles zügig klappen. Vorwärts, rückwärts, vorwärts, rückwärts… Träge und gelassen schleicht Oma auf den Anhänger. Na bitte, freue ich mich, alles kein Problem. Eine Sekunde vergeht… und eine zweite… Dann schmeißt sich das Pferd wie von Sinnen gegen die Wände des Transporters, ein unfassbarer Tobsuchtsanfall, ein Orkan an Kraft und Wut, Holzsplitter fliegen durch die Luft, die Wände geben nach. Nach einigen Versuchen gelingt es mir, das Pferd zu greifen und vom Hänger zu bringen.

So etwas hatte ich noch nie erlebt. Sobald Oma aus ihrem Gefängnis befreit war, stand wieder die liebenswerte Hängebauch-Seniorin vor mir, die kein Wässerchen trüben konnte. Woher bloß nahm dieses Pferd eine so unglaubliche zerstörerische Kraft? Was wir als Nächstes zu tun hatten, war klar: den Anhänger reparieren.

Die Politik der kleinen Schritte, das Loben und Entfernen des Stimulus, sobald ein Schritt in die gewünschte Richtung geschafft war, befreite Oma innerhalb kurzer Zeit von ihrer Klaustrophobie, sodass sie schon bald den langen Rückweg nach Hause antreten konnte. In mehreren Briefen berichteten mir die Besitzer später, wie problemlos sich ihr Pferd nun auf dem Anhänger verhielt. Ohne den kleinsten Zwischenfall ließ sich Oma jeden Morgen fröhlich den Berg hinunter- und abends wieder hinauffahren. Später erhielt ich Fotos von Oma und einen letzten Brief: »Wir kaufen jetzt ein neues Haus, Oma hat ihren Stall dann direkt an der Weide.«

MUCK

Eine aufgeregte, sich überschlagende Frauenstimme meldet sich am Telefon. Seit Ewigkeiten stehe da ein Pferd auf der Wiese, das einem Alkoholiker gehört habe. Ein Verschlag, ein heruntergekommener Bauwagen. Niemand kann es berühren. Völlig verwahrlost. Was? Ich verstehe kein Wort, frage nach, und langsam nimmt die furchtbare Geschichte Konturen an.

Neben dem Bauwagen, in dem der alkoholkranke Mann seit Jahrzehnten vor sich hin vegetierte, gab es einen verwahrlosten Unterstand, in dem eine Stute mit ihrem Nachwuchs lebte. Den mittlerweile dreijährigen Hengst, der seit seiner Geburt wohl kaum diese Box verlassen hatte, misshandelte der Mann täglich mit Schlägen, Verbrennungen und anderen sadistischen Quälereien.

Irgendwann fiel Anwohnern und Tierschützern die Situation der Pferde auf, sie alarmierten die Polizei und kämpften dafür, dass die Pferde von ihrem Peiniger befreit wurden. Sie waren erfolgreich, und es gelang, dem Mann die Pferde rechtmäßig abzunehmen. Den Hengst fanden sie in einem absolut desolaten Zustand vor, ein hochgradig traumatisiertes Pferd. Das Fohlenhalfter, das es immer noch trug, war mittlerweile tief in die Haut eingewachsen.

Während die Stute relativ schnell abgeholt wurde, gestaltete sich der Umgang mit dem Hengst geradezu aussichtslos. Freiheit und frische Luft hatten sich die Tierschützer für das gerettete Tier gewünscht, die Stalltür geöffnet und den Hengst zunächst einmal auf die Weide entlassen. Die Sache hatte allerdings einen Haken. Näher als 100 Meter ließ er keinen Menschen an sich herankommen. Es war nicht ansatzweise daran zu denken, ihn einzufangen, damit ihn ein Arzt untersuchen und er auf die Reise zu einem neuen Besitzer gehen konnte.

Wenn es erst einmal die Freiheit geatmet habe, ließe sich das Pferd bestimmt auch wieder einfangen, hatten seine Retter gedacht. Ein Irrtum. Nicht einmal der Tierarzt kam nah genug heran, um es mit einem Betäubungspfeil aus dem Blasrohr zu treffen und ruhig zu stellen.

Einer Frau hatte es der Hengst Muck mit seinem traurigen Schicksal besonders angetan. Drei Monate, einen ganzen Sommer lang, saß sie bei ihm auf der Weide, immer an der gleichen Stelle unter einem Apfelbaum. Sie beobachtete den Hengst und versuchte, sein Vertrauen zu gewinnen. Sie schaffte es in dieser Zeit immerhin, dass das Pferd sich ihr bis auf 20 Meter näherte.

Nun war die Zeit abgelaufen. Muck ließ sich scheinbar nicht mehr zivilisieren und sollte geschlachtet werden. Der Anruf der Frau bei mir war ein letzter verzweifelter Hilferuf, ein letzter Kampf um das Leben des unglücklichen Pferdes, in das sie sich hoffnungslos verliebt hatte.

Ich fuhr hin, um mir das Pferd anzusehen. Die Tierschützerin flehte mich an zu helfen. Mein Blick fiel auf eine etwas abgelegene Stelle am Rand der Weide. Dort gab es, von Brennnesseln und Farn überwuchert, einen kleinen Wall, der einen Bogen beschrieb und grob die Form eines natürlichen Roundpen hatte. An das Pferd kam ich bis auf höchstens zehn Meter heran. Es war nichts zu machen. Dann kam mir eine Idee. Ich baute einen Kanal hin zu dem Rondell, in dem ich ein JOIN-UP mit dem Hengst versuchen konnte. Ich lotste ihn in Richtung des Kanals, und er raste durch ihn hindurch in das runde Areal.

Rund vier Stunden dauerte die erste Begegnung, wobei ich mich des Prinzips von Annähern und Zurückweichen bediente, wie es Monty Roberts in seinem Buch *Die Sprache der Pferde* (2002, Seite 31–36: Vorstoß und Rückzug) beschrieben hat. Dabei lernt das Pferd folgende Spielregeln: Immer wenn es näher kommt, lasse ich den Druck ein bisschen nach, indem ich den Blick abwende und mich restriktiv zurückhalte. Aber immer wenn sich das Pferd von mir weg bewegt, bleibe ich dran. Dabei darf in keinem Moment so viel Druck entstehen, dass ich das Pferd verliere, indem ich die Fluchtreaktion auslöse.

Es heißt, nach diesem Prinzip hätten die Indianer wilde Pferde eingefangen. Sie trieben die Herde über ihre natürliche Fluchtdistanz hinaus vor sich her, dann drehten sie sich um und zogen sich zurück. Die Pferde drehten sich instinktiv ebenfalls um und folgten den Indianern, die sie in eine Schlucht lockten. Dort konnten die Indianer sie mit einfachen Hilfsmitteln einfangen.

Wieder einmal wurden mir angesichts dieses jungen traumatisierten Pferdes die Dimensionen menschlicher Brutalität bewusst. Hier stand ein zitterndes Tier vor mir, das nur um Haaresbreite einem qualvollen Tod entgangen war. Es gelang mir nach wenigen Stunden, was gute und bekannte Pferdeleute aus der Umgebung monatelang vergeblich versucht hatten: Ich konnte Muck anfassen und ihm ein Halfter über das eingewachsene Fohlenhalfter legen, das der Tierarzt operativ entfernen würde. Unmittelbar im Anschluss daran verlud ich das Pferd auf den Anhänger und brachte ihn nach Hamburg in unseren Trainingsstall.

Es dauerte noch eine Weile, bis Muck ein vertrauensvolles Pferd wurde, das einen normalen Umgang mit Menschen zulässt. Aber er schaffte es durch das JOIN-UP und dadurch, dass er Stück für Stück Vertrauen fassen konnte. Letztendlich hat der Hengst überlebt, weil sich ein Mensch, jene Dame unter dem Apfelbaum, aufopferungsvoll für ihn einsetzte. Und weil er durch das folgende Training einen Weg finden konnte, sich mit Menschen anzufreunden und sie nicht mehr als bedrohliche Raubtiere wahrzunehmen.

Einmal nahm eine Frau mit ihrem Pferd an einem meiner sechstägigen Kurse teil. Nichts Ungewöhnliches auf den ersten Blick. Aber nicht ganz alltäglich war, wie sich bald herausstellte, dass die Vorbesitzerin des Pferdes ihr diesen Kurs bezahlt hatte. Die neue Besitzerin war bereits durch das Pferd verletzt worden und fürchtete sich offensichtlich vor ihm. Eigentlich wollte sie es zurückgeben, was die Verkäuferin, eine Bekannte von ihr, aber rigoros abgelehnt hatte. Diese rief mich an und bat mich darum, die Käuferin an dem Kurs teilnehmen zu lassen, in der Hoffnung, dass sie endlich mit dem Pferd klarkomme und es schließlich behalten wolle.

Es handelte sich um einen jungen Vollblüter, der gezüchtet und eingeritten worden war, um eines Tages auf die Rennbahn zu gehen. Auf den ersten Blick fiel auf, dass das Pferd viel zu dick war. Später, als Monty und ich die neue Besitzerin einmal zu Hause besuchten, sahen wir das Umfeld, in dem das Pferd gehalten wurde: Vorgartencharakter. Die Boxen befanden sich direkt hinter dem Haus in einer Wohnsiedlung. In der Nähe lag eine kleine Weide, auf der das Pferd auch bewegt wurde. Kleine Transportboxen, wie man sie von Turnierplätzen kennt, bildeten den Unterstand. Kein Umfeld für ein potenzielles Rennpferd.

Im Rahmen des einwöchigen Kurses wies ich die Frau darauf hin, dass das Pferd zu dick und unausgeglichen sei. Ich versuchte ihr deutlich zu machen, dass ein solches Tier zu seinem eigenen Besten mehr Arbeit und Bewegung benötigt. Die Frau hatte sichtlich Angst vor ihrem Pferd, das Pferd wiederum zeigte eindeutige

Abneigungsgesten wie Ohrenanlegen und Beißen in ihrer Anwesenheit.

Mein Kurs begann. In seinem Verlauf entwickelte die Frau eine solche Begeisterung für unsere Methoden und die Möglichkeiten, mit Pferden zu kommunizieren, dass sie mich fragte, ob sie das Pferd nach Ende des Kurses für eine Zeit bei mir im Stall lassen könne. Ich verneinte. Das sei leider nicht möglich, da wir ein Trainingsstall und kein so genannter Pensionsbetrieb sind.

Zu mir ins Training konnte ich das Pferd also nicht nehmen, da es keinerlei Probleme zeigte, die meines Einsatzes bedurft hätten. Es wurde lediglich nicht seinen Anforderungen entsprechend gehalten und trainiert. Ich empfahl der Frau, das Pferd wieder abzugeben, wie sie es ursprünglich geplant hatte. Es gehöre in professionelle, erfahrene Hände sowie ins Training und sei als Pferd zum »Liebhaben« und gelegentlichen Reiten nicht geeignet. Wir hatten es hier nicht mit einem bösartigen oder aggressiven Pferd zu tun, im Gegenteil: Dieses Pferd war vollkommen in Ordnung – aber es brauchte eine kundige Hand.

Die Frau begann zu weinen und bat mich immer wieder, das Pferd bei mir lassen zu dürfen. Ich sah darin nach wie vor keinen Sinn. Es gab kein Trainingsziel. Sie weinte und weinte. Schließlich stimmte ich zu, die Stute als normales Pensionspferd vorübergehend bei uns unterzustellen, bis die Besitzerin eine Entscheidung getroffen hatte. Aber ich wies sie ausdrücklich auf den Umstand hin, dass ich in wenigen Tagen für drei Monate mit Monty Roberts auf Tournee gehen und selbst nicht anwesend sein würde, um das Pferd zu betreuen. Unter Tränen bekundete die Frau, wie überfordert sie sei, dass sie Angst habe und nicht wisse, wie es mit dem Pferd weitergehen solle. Obwohl mir meine innere Stimme nahe legte, die Dame nach Hause zu schicken, siegte mein Mitleid.

Die Sache war also abgemacht. Eine Praktikantin, die meine Pferde während meiner Abwesenheit beaufsichtigen würde, bot an, das Pferd gelegentlich zu reiten, wenn sie ein bisschen Zeit hätte. Die Besitzerin freute sich sehr darüber und merkte ein weiteres Mal an, wie aggressiv das Pferd unter dem Sattel sei. Noch in meiner Anwesenheit ritt die Praktikantin das Pferd mehrmals und hatte keinerlei Probleme. Das unterstrich den Eindruck, dass die Probleme nicht beim Pferd, sondern bei der Besitzerin lagen.

Das Pferd wurde auf Diät gesetzt und gelegentlich bewegt: morgens auf die Weide, mittags reiten, soweit die Zeit es erlaubte, abends 30 Minuten in die Führmaschine. Es wurde zufrieden, umgänglich, und jegliche Aggression, die in Anwesenheit der Besitzerin zu sehen gewesen war, verschwand. Am Ende des Aufenthalts bei uns war der Wallach in wesentlich besserer Verfassung als bei seiner Ankunft. Er hatte etwas abgenommen – worauf meine Praktikantin besonders stolz war – und zeigte sich im Umgang ausgeglichen und ruhig.

Weil die Besitzerin weiterhin darauf bestand, dass der Wallach beim Reiten sehr aggressiv sei und oft steige, was ihr wiederum Angst mache, demonstrierte ihr die Praktikantin beim Abholen des Pferdes den Umgang mit Scheuklappen. Wir benutzen dieses Hilfsmittel erfolgreich, um steigenden Pferden die Sicht nach oben und damit auch ihre auf diese Richtung fokussierte Aktivität zu nehmen. Ein Pferd geht nirgendwohin, wo es nicht hinsehen kann. Schritt für Schritt wird der Blickwinkel erweitert, ja nachdem wie stark die Reaktion des Pferdes ist.

Wenige Tage später dann die Überraschung: Die Besitzerin rief mich an, um sich bitterlich zu beschweren. Wie hätten wir es wagen können, ihr Pferd beinahe verhungern zu lassen? Und warum in aller Welt sei der Wallach auf einmal so ruhig? Sie warf mir vor, das Pferd gedopt zu haben. Die Verkäuferin des Pferdes, eine Tierärztin, hätte, drei Tage nachdem der Wallach wieder zu Hause war, eine Blutprobe genommen und darin eine sehr hohe Dosis Valium entdeckt.

Ich war sprachlos. Warum sollte ich das Pferd dopen? Es war noch nicht einmal bei mir im Training gewesen. Und außerdem: Wenn die Tierärztin drei Tage nach dem Abtransport des Pferdes von meinem Hof eine so hohe Dosis Valium entdeckte, in welchem Zustand hätte der Wallach sein müssen, als er abgeholt wurde? Er wäre garantiert nicht in der Lage gewesen, in den Anhänger zu steigen und nach Hause zu fahren. Um ein Pferd körperlich ruhig zu stellen, ist Valium niemals eine Alternative. Was ich dazu sagen würde, brüllte die Frau am anderen Ende der Telefonleitung. Eines war klar: Meine Praktikantin, die das Pferd täglich versorgt hatte, garantierte den erstklassigen Zustand des Pferdes bei der Abholung.

Kurz darauf meldete sich die Verkäuferin des Pferdes bei mir. Unsere Methoden seien untragbar, das Pferd sei gedopt und völlig abgemagert – eine Unverschämtheit und so weiter. Sie forderte mich auf, das Geld für die Boxenmiete, für Futter und Weide plus Schmerzensgeld und Tierarztkosten sowie einen zusätzlichen Betrag an sie zu überweisen. Wenn ich all das bezahlen würde, wolle sie über den Fall hinwegsehen. Anderenfalls würden sie und die aktuelle Besitzerin des Pferdes an die Öffentlichkeit gehen und mich und meine Arbeit, wie sie sich ausdrückte, »für immer und ewig vernichten«.

Welch große Aufgabe, dachte ich noch insgeheim. Ich fühlte mich überrumpelt, sprach- und auch ein wenig ratlos. Noch immer waren wir auf Tournee. Monty Roberts saß neben mir. Ich schilderte ihm den Fall. Er war außer sich vor Zorn und beschwor mich, sofort zur Polizei zu gehen, da es sich hier um einen klaren Fall von Erpressung handele. »Nichts bezahlst du, gar nichts, das ist Erpressung«, er explodierte regelrecht und stellte die Vermutung an, dass der eigentliche Motor der gesamten Aktion die Verkäuferin des Pferdes war. Er bestand darauf, persönlich mit ihr zu sprechen, und sie wiederholte ihre Forderungen.

Die Verkäuferin schien geradezu besessen von ihrem Plan, mich in der Öffentlichkeit zu diskreditieren. Sie agierte in vielerlei Hinsicht, wurde jedoch meist belächelt und nicht ernsthaft wahrgenommen. Zu haltlos waren die Beschuldigungen, zu fadenscheinig die Beweise, zu bekannt meine Arbeit. Sie versuchte, in verschiedenen Fachzeitschriften Artikel gegen mich zu platzieren. Als das kaum gelang, ging sie dazu über, an Besucher und Organisatoren meiner Veranstaltungen 40-seitige Hetz-Pamphlete zu verteilen, in denen sie kurzen Prozess mit mir machte. Unzählige Nächte musste sie vor dem Computer verbracht haben, in allerlei Internet-Reiterforen gab sie ihre Meinung kund. Ich hatte Mitleid mit der Dame.

Dann kam der Tag, an dem ich in einer großen deutschen Universitätsstadt einen Vortrag vor der Deutschen Veterinärmedizinischen Gesellschaft, Fachgruppe angewandte Ethologie und Tierschutz, halten sollte.

Der federführende Professor hatte mich eingeladen, vor den rund 300 Teilnehmern der Tagung zu sprechen, von denen rund 80 Prozent praktizierende Amtstierärzte waren. Was ich sonst nie tue, machte ich in diesem Fall ganz intuitiv: Eine Woche vor der Tagung reiste ich an, um den Professor kennen zu lernen und mir die Rahmenbedingungen vor Ort anzuschauen, da ich auch eine Vorführung am Pferd zeigen sollte.

Ich war begeistert von dem Professor, der selbst noch bei Konrad Lorenz studiert hatte, von seinem Engagement und vor allem seiner Fachkenntnis. Als er mich am Abend verabschiedete, sagte er: »Sie wissen sicherlich, dass auch Gegner von Ihnen zu Ihrem Vortrag kommen werden, Menschen, die nicht wollen, dass Sie dort sprechen. Ich persönlich möchte, dass Sie kommen, weil Sie eine Chance haben sollen, Stellung zu nehmen und Ihre Methode zu erklären. Uns interessiert Ihre Fachkunde, nicht persönliche Feindschaften.«

Sollten doch konträre Meinungen vertreten sein. Wunderbar, das ist Wissenschaft! Ich war bereit und freute mich darauf, Stellung nehmen zu dürfen. Ich war auf Konfrontation eingestellt und wollte in meinem Vortrag zunächst die Brachialwerkzeuge der Veterinärmedizin anprangern und kritisieren. Ich dachte, es sei klug, dieses Forum zu nutzen, um einmal in aller Deutlichkeit darzustellen, »was alles schief läuft in der Tiermedizin«. Aufklärung betreiben, das wollte ich gerne tun.

Den entsprechenden Vortrag schickte ich vorab einer befreundeten Professorin in Zürich mit der Bitte, einen kritischen Blick darauf zu werfen. Sie sagte: »Wenn du in dieser Form anklagst, dann brauchst du danach nie wieder aufzutreten. Du kannst deine Meinung sagen, fertig. Agiere dabei aber nicht wie ein bissiger Hund, sondern frei und klar aus der Mitte des Raumes heraus. Ich sage dir, dass du das nicht nötig hast. Rede stattdessen doch vom Positiven, dem Guten in dem, was du machst.«

Ich schrieb also einen neuen Vortrag, der meinen Standpunkt, meine Methoden und deren naturwissenschaftlichen Hintergrund darstellte. Nur weil Gegner angekündigt waren, würde ich mich nicht schon im Vorfeld in eine Verteidigungs- und Kampfhaltung manövrieren lassen. Ich war reingefallen auf mein eigenes Ego. Meine Ratgeberin hatte vollkommen Recht.

Als ich den Hörsaal der Universität betrat, schlug mir eine Welle der Skepsis entgegen. Giftpfeile schossen von einigen Plätzen der Ränge herab, die Atmosphäre der Ablehnung war mancherorts so dicht, dass man meinte, sie physisch greifen zu können. Über 300 Augenpaare taxierten mich abschätzig. Aber auch freundliche Gesichter konnte ich erkennen. Ihretwegen war ich hier, sagte meine innere Stimme. Wegen all jener, die aufrichtig und unvoreingenommen wissen wollten, was sich hinter meiner Arbeit verbarg.

Ich war regelrecht beschwingt von den abweisenden Gesichtern. Wenn ich nur einen einzigen dieser negativ eingestellten Menschen erreichte, würde sich bereits alles gelohnt haben. Recht weit vorn auf den Hörerrängen hatte die Verkäuferin des Wallachs Platz genommen, offenbar mit tatkräftiger journalistischer und tiermedizinischer Unterstützung an ihrer Seite. Der Hörsaal war brechend voll, sogar auf den Treppenstufen saßen Menschen. Ich schaute hinauf zu den Rängen, atmete tief aus und begann mit meinem Vortrag.

Schon bald gewann ich das Gefühl, den richtigen Ton

für dieses Auditorium zu treffen. Ich redete und redete, die ablehnende Atmosphäre schlug um in gespannte Aufmerksamkeit. Man hätte eine Stecknadel fallen hören können. Die Menschen folgten mir, ich erreichte sie, die Begeisterung wuchs. Mit versteinertem Gesicht saßen die Verkäuferin und ihr Gefolge in den Bänken. Nach der vorgesehenen Zeit von 45 Minuten kam ich zum Ende. Die Zuhörer lächelten, schienen verstanden zu haben. Applaus und zustimmendes Klopfen.

Mit spitzen Bewegungen riss mir nun die Moderatorin der Tagung das Mikrofon aus der Hand und rief mit hoher Stimme: »Mal keine überschwängliche Euphorie im Saal. Das war ja alles schön und gut. Aber jetzt hören wir andere Stimmen. Jetzt hören wir, was Frau Kutsch wirklich macht.« Sie winkte die Verkäuferin heran und hielt ihr das Mikro vors Gesicht. Gern machte ich ihr den Weg frei und räumte das Rednerpult.

Der nun folgende Auftritt erwies sich als wenig vorteilhaft für die Verkäuferin, die mit stetem Blick auf die Moderatorin versuchte, ihre Botschaft zu vermitteln. Im Publikum legten sich Stirnen in Falten, es wurde ungeduldig auf den Sitzen hin und her gerutscht. Was lief hier? Jeder der 300 Zuhörer wartete gespannt darauf, wie ich reagierte.

Langsam ging ich ans Rednerpult zurück. Bei solchen Gelegenheiten ist es normalerweise üblich, dass im Anschluss an den Vortrag Fragen aus dem Publikum beantwortet werden. Zusammenhanglose Anschuldigungen waren hier deplatziert. Ich stand wieder vorn und sagte zur Verkäuferin: »Vielen Dank für Ihre Darstellung, aber ich habe leider Ihre Frage nicht verstanden.« – »Diese Geschichte spricht ja wohl für sich selbst«, keifte sie zurück.

Also versuchte ich es anders. »Wenn Sie keine Frage an mich haben, darf ich dann Ihnen eine Frage stellen?« Sie nickte. »Hat sich das Pferd, von dem Sie sprechen, jemals bei mir im Training befunden?« Sie schnappte nach Luft, stammelte etwas Unverständliches. Und noch einmal. »Hat sich das Pferd jemals bei mir in persönlicher Betreuung oder bei mir persönlich im Training befunden?« Laut und deutlich sagte sie: »Nein!« Ein lautes Raunen ging durch den Hörsaal. Selbst die Moderatorin war sprachlos. Der Fall war erledigt.

Ich begann konstruktive Fragen zu beantworten. Schließlich bat ich zur praktischen Vorführung. »Geben Sie mir irgendein Pferd«, hatte die Absprache gelautet. Gut. Wir gingen zum Roundpen, und sie holten mir einen Friesenhengst aus dem Stall. Als hätte dieses Pferd gewusst, worum es am heutigen Tag für mich ging, kommunizierte es schulbuchmäßig mit mir. Winzige Gesten genügten – und es reagierte. Die Zuschauer drängten sich um das Roundpen, reckten den Hals und suchten nach Plätzen, von denen aus sie besser sehen konnten. Der Hengst erfüllte alle meine Anfragen schon in dem Moment, als ich sie stellte. Es war unglaublich, auch für mich.

Jedes normal aufgewachsene Pferd beherrscht die Pferdesprache Equus. Es ist ihre Sprache, ihre Welt. Wir müssen uns darin erst zurechtfinden. Monty Roberts hat nichts Neues erfunden, er hat nur entdeckt, was in der Natur vorhanden ist. In diesem Moment empfand ich große Dankbarkeit dafür, dass er dieses Wissen an mich weitergegeben hatte. Er half mir nicht nur im Umgang mit Pferden, sondern auch mit Menschen. Im Geist dankte ich Monty Roberts für jeden Tag, den ich an seiner Seite lernen durfte.

LAVENDEL

Die Stute Lavendel ist zu einem emotionalen Kernpunkt in meinem Leben geworden. Die zweijährige Tochter von Lomitas[12] sollte als Rennpferd Karriere machen, weigerte sich jedoch hartnäckig, eine Startmaschine zu betreten. Also kam Lavendel in einem Transporter auf meinen Hof und sollte von mir trainiert werden.

Der Anblick der Stute, die da vom Lkw stieg, traf mich direkt ins Herz: ein zartes braunes Rehlein mit riesigen Augen, das sich scheu umblickte. Dieses Pferd war wie ein kleines Kind, zart und empfindlich, ängstlich und unsicher. Ich begann gleich am nächsten Tag, mit ihr zu arbeiten. In der grundlegenden Vertrauensarbeit bestätigte sich der erste Eindruck, den das Pferd bei mir hinterlassen hatte.

Was ich nun brauchte, war die Konstruktion einer Startmaschine, um dem Pferd Schritt für Schritt die Angst vor diesem monströsen Gerät nehmen zu können. Hier ging es nur um Angst, nicht um ein aggressives Verhalten. Ich baute aus Gitterelementen eine Art Starterbox, die mit weichem Material gepolstert war und die ich im Lauf des Trainings immer weiter verengen konnte.

Von Monty Roberts hatte ich gelernt, die benötigten Konstruktionen immer selbst zu bauen, je nachdem, welches Training für ein Pferd notwendig war. Die abenteuerlichsten Konstruktionen waren auf diese Weise schon entstanden. Zusammen streiften Monty und ich durch Baumärkte und besorgten das Material für unsere Erfindungen. Monty fielen die genialsten Bauwerke meistens beim Essen ein. Er liebte es, seine

Geistesblitze auf Servietten zu skizzieren, um sie zu diskutieren und nicht zu vergessen. Heute noch habe ich einen Ordner, der randvoll mit Servietten und Bauzeichnungen ist. Wie muss ich etwas konstruieren, um einen optimalen Trainingseffekt zu erzielen? Wie lassen sich vorhandene Konstruktionen verfeinern und verbessern? Er lehrte mich, auf solche Fragen kreative Lösungen zu finden. Es machte und macht wahnsinnigen Spaß.

Später sah sich Monty die Startmaschine an, die ich für Lavendel gebastelt hatte. Eine hervorragende Konstruktion, die für das Training bestens geeignet war. Nur das Material für die Polsterung hatte mich vor Probleme gestellt. Es gab einfach nicht genau das, was ich wollte. Also musste ich improvisieren und baute die Polsterung aus einem schreiend grünen Material, das normalerweise für die Isolierung von Häusern verwendet wird.

Als Monty meine Konstruktion sah, weiteten sich seine Augen, er grinste über das ganze Gesicht und rief entsetzt: »Wow, das ist gruselig. Kriegst du jemals irgendein Pferd in dieses Teil? Dann rennt es überall. Dann geht es überall rein.« Wir lachten uns scheckig darüber. Überhaupt lachten wir unglaublich viel zusammen. Anlässe dazu gab uns unsere Lebensaufgabe immer wieder in Hülle und Fülle. Wir waren und sind ein ausgesprochen fröhliches Team.

Lavendel hatte keine Phobie, sondern war einfach nur ängstlich. Der Trainer hatte nicht viel kaputtgemacht, nur vorsichtig versucht, ob sie die Startmaschine betreten würde, und auf ihre Weigerung hin aufgehört, um keine negative Assoziation herzustellen. Das ist der Optimalfall.

In der Prävention liegt das Geheimnis. Wenn ich dreimal erfolglos etwas mit einem Pferd versucht habe, dann muss ich es nicht noch zweihundertmal auf dieselbe Art wiederholen, sondern den Weg ändern. Pferde lernen schnell, man muss ihnen nur verständlich machen, was man von ihnen will.

Das Pferd gab im Training alles, versicherte sich immer wieder, das Richtige zu tun, und konzentrierte sich auf das Lernen. Mit riesigen Augen schaute die Stute mich an und schien oftmals einfach in meine Hosentasche kriechen zu wollen, um sich vor der Welt zu verstecken. Sie prüfte jeden Schritt, checkte ihr Verhalten, wollte eine Musterschülerin sein und war dabei einfach nur goldig.

Zügig arbeiteten wir uns voran, und ihre Angst nahm ab. Dabei schien das Pferd extrem abhängig von meiner Anwesenheit zu sein. Wenn ich da war, fühlte sie sich sicher. Wir gewöhnten sie nicht nur an die Startmaschine, sondern behielten sie auch im Konditionstraining. Ich war zu schwer für dieses Pferd und fand ein 40-Kilo-Mädchen, das sie unter meiner Anleitung ritt. Das weitere Training sollte vor Ort auf der Kölner Rennbahn stattfinden.

Dann rollte der Lkw auf den Hof, um die kleine Lavendel abzuholen. Draußen war es stockfinster, und es stürmte. Ich erinnere mich an Blitze, Donnerschläge und diesen wahnsinnigen Regen, der das Kopfsteinpflaster zu einer gefährlichen Rutschbahn machte. Der Lkw-Fahrer war ein grobschlächtiger, unwirscher Mann, der bei diesem Mistwetter nur seinen Job so schnell wie möglich erledigen wollte. Er war nicht dazu zu bewegen, den Lkw an die Halle heranzufahren, wo uns Licht und ein rutschfester Boden geholfen hätten.

29. Auf Tournee
im Jahr 2003 (Foto:
Guido Karp Photo-
raphy, Höhr-Grenz-
ausen/Los Angeles)

30.-32. Im Berliner Tempodrom wird
2004 die Studentin flügge: Zum ersten Ma
kommentiert Monty meine Arbeit vo
5000 Zuschauern und beweist damit, dass
seine Methoden erlernbar sind und
nichts mit Magie zu tun haben (Fotos
Norbert Gettschat, Hamburg

33. *Oben:* Unsere tiefe Verbundenheit zeichnet sich dadurch aus, dass wir einander zuhören und die Meinung des anderen schätzen (Foto: Norbert Gettschat, Hamburg)

34. *Links:* Bei einer Veranstaltung mit eigenem Stand (Foto: Norbert Gettschat, Hamburg)

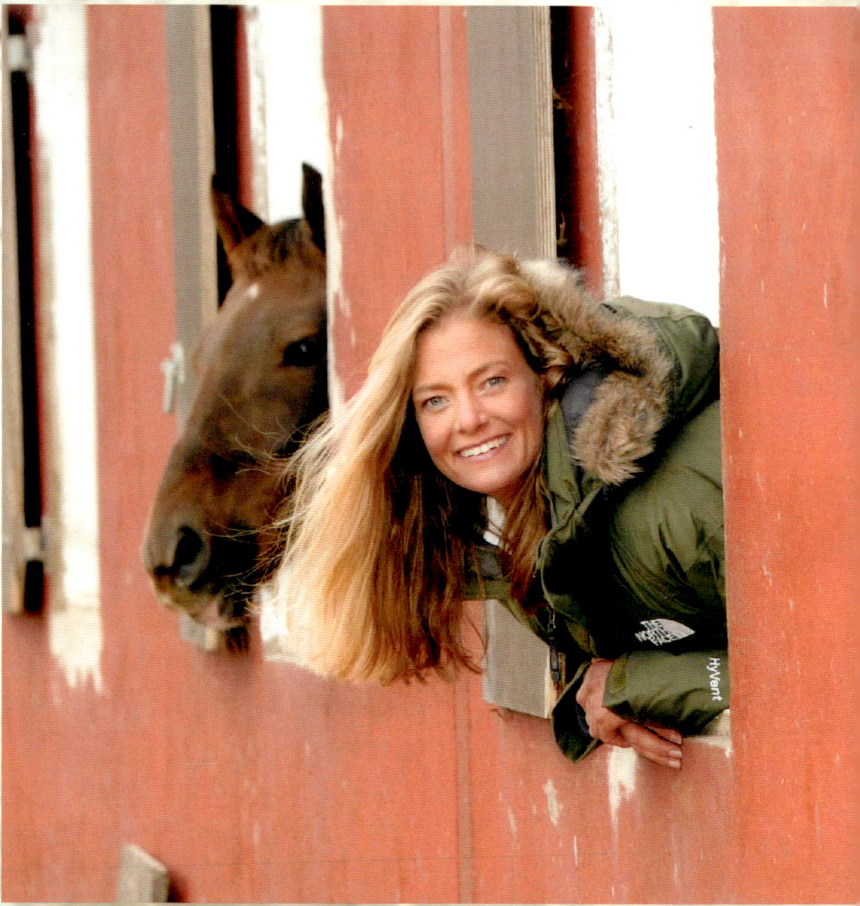
HyVent

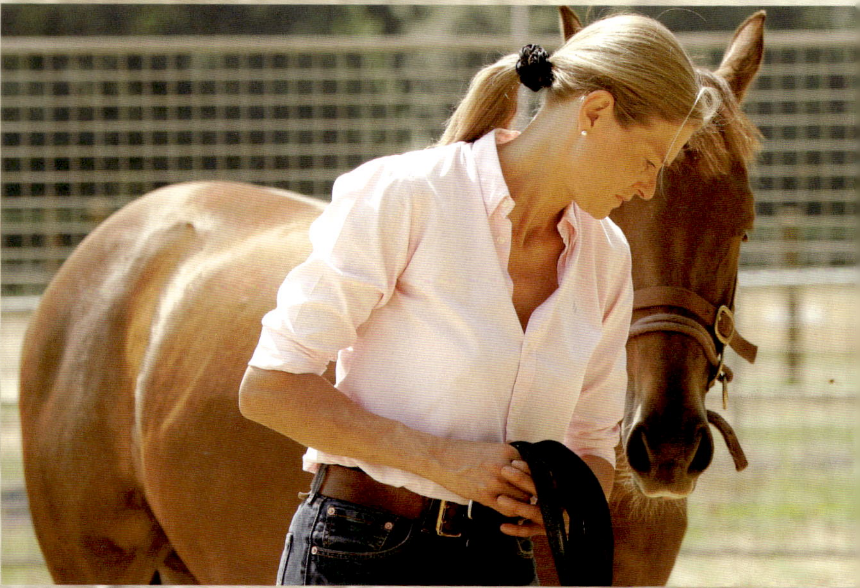

35.-37. Eindrücke von mir und »meinen« Pferden (Fotos: Christian Langbehn, action press, Hamburg, 35; Jacques Toffi, Hamburg, 36-37)

38.-41. Beim JOIN-UP mit zwei frei-laufenden, untrai-nierten Arabern (Fotos: Jacques Toffi, Hamburg)

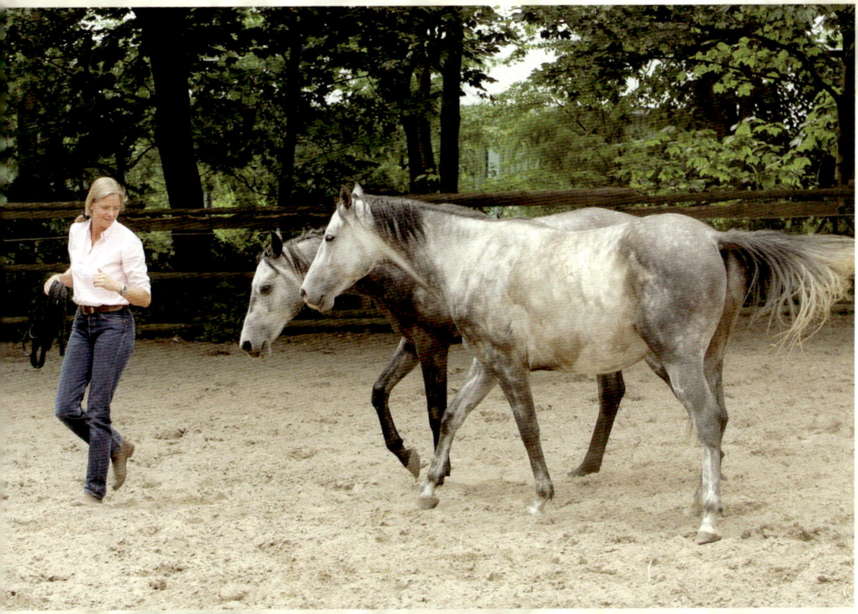

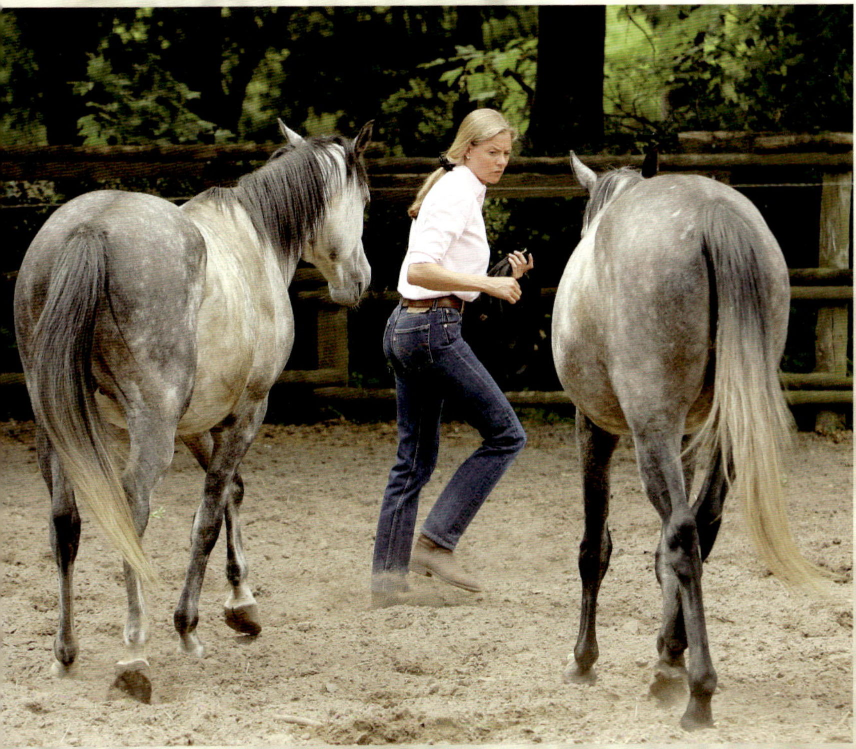

42. Wir können's
gut miteinander
(Foto: Jacques Toffi,
Hamburg)

Dann machte er die Klappe auf, brummte »Einsteigen!« und suchte im Führerhaus Schutz vor dem Gewitter, das über unseren Köpfen den Weltuntergang probte. Die Rampe des Wagens war lebensgefährlich, sogar für einen Menschen. In zwei Längshälften geteilt, gab sie bei jedem Schritt nach, sodass eine Lücke zwischen linkem und rechtem Bein entstand. Ganz steil ging es hinauf in den Transporter, oben trennte eine etwas höhere Stufe die Rampe vom Innenraum. Es gab keine Absperrung an den Seiten, und der Regen machte einen sicheren Halt auf der Rampe selbst völlig unmöglich. Es war stockfinster.

Ich konzentrierte mich, holte Lavendel aus dem Stall. Mir fehlte der Mut, diesem unfreundlichen Fahrer die Meinung zu sagen und ihm die Fahrt an die Halle zu befehlen. Was er von mir hielt, war mehr als deutlich. Schon auf dem Hof rutschte die Stute auf ihren Eisen. Der Sturm riss an uns, lauter Donnerschlag, der Regen war noch stärker geworden. Lavendel drängte sich ganz nah an mich und suchte Schutz. Ich übernahm klar und selbstsicher die Rolle der Anführerin, signalisierte Souveränität und Verlässlichkeit.

Wir näherten uns dem Lkw und der rutschigen Rampe. Ich fühlte eine schon fast magische Verbindung zwischen mir und diesem Pferd. Auch wenn ich ein Pferd noch nicht lange kenne, schafft das JOIN-UP eine Beziehung, die auf nichts anderem beruht als auf kompetenter Kommunikation.

Ich ging voran auf die Rampe zu, doch der Gedanke an den Aufstieg auf diesem steilen, glatten, schwingenden Untergrund beunruhigte mich. Die Stute blieb am Fuß der Rampe stehen und sah mit ihren großen Augen verzweifelt in den Innenraum des Wagens. Zumindest empfand ich es in diesem Moment so. Das schaffe ich nie, schien sie zu sagen.

Ich machte einen entschlossenen ersten Schritt. Lavendel folgte mir vertrauensvoll, und unsicher tasteten wir beide uns ein Stück auf diesem steilen, rutschigen Abhang hinauf und auch wieder hinunter auf den vermeintlich sicheren, festen Untergrund. Sie sollte zunächst ein Gefühl für die schwankende Rampe bekommen.

Die meisten Fehler im Verladetraining geschehen, weil man nicht den Mut hat, die Pferde wieder rückwärts aus dem Anhänger heraus zu richten. Die Devise lautet oftmals: rein, Klappe zu und los. Psychologisch gesehen ist jedoch gerade in dem Moment das Rückwärtsrichten als Nachlassen des Angst einflößenden Stimulus die für das Pferd verständlichste Belohnung.

Die Rampe schwankte bei jedem Schritt. Jetzt bloß in der Mitte bleiben, damit wir nicht an einer der ungesicherten Seiten abstürzen. Ganz oben blieb Lavendel vor dem Absatz stehen, über den man in den Innenraum klettern musste. Hier gab es für uns kein Zurück mehr. Die gefährlichste Stelle. Unter uns der über zwei Meter tiefe schwarze Abgrund, um uns herum nichts als schwarze Nacht.

Der Regen prasselte mit ungebrochener Wucht vom Himmel. Der entscheidende Schritt stand noch bevor. Wenn sie jetzt zurückspringen würde… Nicht auszudenken, welche Folgen das hätte. Die Stute zitterte so, dass die ganze Rampe bebte. Ich lobte sie, wendete die mir bekannten Methoden an, die sich vor allem in korrekter Körperhaltung und Position ausdrückten. Die Stute setzte ein Bein vor, ich signalisierte ihr, dass alles in Ordnung sei, und ließ ihr einen winzigen Augenblick

Zeit. Ich war eins mit dem Pferd. Die Stute hob einen weiteren Huf, machte einen riesigen Satz – und stand im Lkw. Sie wirkte erleichtert und legte ihren Kopf an meine Schulter.

Nun stand sie da, die Kleine, zitternd, patschnass und dampfend in dem riesigen Lkw. Ich entfernte mich vorsichtig, wollte mich unauffällig hinausstehlen. Ihr Kopf folgte mir, sie ließ mich nicht aus dem Blick. Ich hörte den Fahrer draußen schon lamentieren und musste das Pferd verlassen. Die Stute war aufgeregt, die Türen schlossen sich hinter mir.

Ein herzzerreißendes Wiehern gellte durch die Nacht. Sie wieherte und wieherte. Einigermaßen gefasst verabschiedete ich den unsympathischen Fahrer und ging scheinbar gleichmütig in Richtung Stall. Als ich an ihrer leeren Box vorbeikam, überwältigten mich meine Gefühle. Hier, wo sie eben noch gestanden hatte, setzte ich mich ins warme Stroh und weinte. Was machte die Welt, was machten die Menschen mit diesen Geschöpfen? Warum mussten sie so viele Dinge tun, die nicht ihrer Natur entsprachen? Und warum erreichte das Pferd mich, aber nicht den Lkw-Fahrer? Es geht nicht darum, dass man ein junges Pferd nicht auf dem Transporter durch die Nacht fahren sollte. Aber die Tour so zu organisieren, dass ein zweites Pferd dabei ist, hätte schon sehr geholfen. Allein zu sein ist für ein Herdentier vermutlich die schlimmste Strafe.

In den Vereinigten Staaten hatte es einen Delfintrainer gegeben, der zu den allerbesten seines Fachs gehörte. Irgendwann wandte er sich von seinem Metier ab, kehrte dem Geschäft den Rücken und wurde zum schärfsten Gegner der Delfinshows, die er erbittert bekämpfte. Er hatte sie erlebt, die Delfine in Gefangenschaft, die unter größtem psychischem Druck stehen, sich Verletzungen zufügen, sich selbst töten.

Der Moment der Emotionalität in der Box von Lavendel wurde mir unvergesslich. Was willst du wirklich?, fragte ich mich. Willst du gegen den Sport, das Reiten an sich, den Besitz von Pferden ankämpfen, gegen alles, was Pferde unterwirft und beeinträchtigt? Oder kannst du verantworten, dass wir zweijährige Babys reiten, sie in Startmaschinen zwingen, in Transporter und hinter Zäune sperren und sie in Gefangenschaft halten? Stehst du dazu? Oder willst du dagegen kämpfen? Aber was ist die Alternative für die Pferde? Meine Gedanken überschlugen sich.

In jener Nacht habe ich mich gegen den Kampf entschieden. Ich will nicht allem den Rücken kehren und nicht alles verurteilen, was Menschen mit Pferden machen. Aber ich will mir das Recht nehmen, gelegentlich zornig zu sein. Auf dem Boden von Lavendels Pferdebox musste ich mich ernsthaft fragen, ob ich es emotional überhaupt schaffen würde, eine solche Nähe zu Pferden aufzubauen, um sie dann wieder in ihre alte Welt zu entlassen. Lavendel war ausgerechnet die Tochter von Monty Roberts' erfolgreichstem Rennpferd, das ihn zum Medienstar werden ließ. Sie brachte mich dazu, nicht aufzugeben und dafür zu sorgen, dass die Menschen lernen, auf harmonische Art und Weise mit diesen wunderbaren Lebewesen zu kommunizieren.

Auf der Kölner Rennbahn ging das Training weiter. Zusammen mit ihrem Trainer habe ich mit Lavendel an der Startmaschine gearbeitet, bis sie ihre Angst vollständig überwunden hatte. Als Lavendel ihr erstes Rennen lief, saß ich auf der Tribüne und sah, wie sie sich gelöst und locker auf der Bahn bewegte. Und als sie an meiner Tribüne vorbeikam, bildete ich mir ein, sie habe mir zugeblinzelt, und ich wusste, dass meine Entscheidung für das Training von Pferden und für den Sport richtig war.

Ich will hier deutlich machen, dass ich niemals für oder gegen eine bestimmte Disziplin im Pferdesport einseitig Stellung beziehen würde. Ich habe schon in jedem Bereich, in dem Menschen mit Pferden umgehen, merkwürdige Verhaltensweisen erlebt. Es kommt immer nur darauf an, das Miteinander zwischen beiden Partnern nachhaltig zu verbessern. Es ist nicht so wichtig, was wir mit den Pferden tun, sondern wie wir es tun.

WILD WEST

Wild West ist ein in Deutschland geborener Hengst, dessen Mutter Walama Monty Roberts gehörte und der in einer Aufzuchtstation war, bevor er zu mir kam. Ein extrem frecher Bursche, dessen Lieblingsbeschäftigung darin besteht, den ganzen Tag lang hellwach zu sein, Grenzen auszutesten und Auswege zu suchen, was auch immer man mit ihm machen möchte. Um sein Maul scheint ständig ein verschmitztes Lächeln zu spielen.

Der Vater von Wild West, Macanal, sorgte im Lauf seiner Rennkarriere immer wieder für Trubel, und überhaupt ist seine ganze Familie kein unbeschriebenes Blatt. Seit er sechs Monate alt ist, steht der Hengst bei mir. Als Monty eines Tages zu Besuch kam und ihn kurz in Augenschein nehmen wollte, erlebte auch er eine Überraschung. In dem Moment, als er die Boxentür öffnete, hatte sich der Hengst schon umgedreht und feuerte beide Hinterhufe in Richtung von Montys Gesicht. Fünf Zentimeter vor Montys Nase blieben die Hinterhufe des Pferdes in der Luft stehen, dann drehte sich Wild West blitzschnell, um seinen Ziehvater mit eng an den Kopf angelegten Ohren wüst zu attackieren.

Monty blickte erstaunt zu mir herüber. »Er hat nach mir ausgeschlagen«, gab er grinsend von sich. Auch ich war mehr als verblüfft. Ich betrat die Box, und das Pferd benahm sich wie das sanfteste Lamm der Welt. Eine erstaunliche Situation. Monty ging erneut in die Box – und Wild West verhielt sich anständig und unproblematisch. Es gibt noch viel zu entdecken in der Kommunikation von Pferden. So viel steht fest.

Zwei Wochen später wollte Monty noch einmal vorbeikommen, um zu sehen, wie sich das Pferd beim Einreiten machte. Diesbezüglich lag ich dramatisch zurück, was ich meinem Lehrer gegenüber aber nicht zugeben mochte. Nun musste ich also endlich damit anfangen. Die Tage rasten dahin. Noch eine Woche, noch drei Tage, bis Monty wieder hier sein würde. Das Pferd kannte weder Sattel noch Trense. Ich hatte ihm also noch nichts Bedeutendes beigebracht. Nichts außer einem kleinen Trick, der sicherlich nicht die Zustimmung des Meisters finden würde. Wild West nahm den Reißverschlussschieber meiner Jacke so geschickt zwischen die Zähne, dass er die Jacke mit seinem Maul auf- und zumachen konnte. Ritsch-ratsch, Reißverschluss runter, Reißverschluss hoch. Über diese Spielereien am Rande amüsierten wir uns beide köstlich. Etwas Ernsthaftes hatten wir allerdings noch nicht vorzuweisen.

Zwei Tage bevor sich mein Lehrer zum neuerlichen

Besuch angekündigt hatte, legte ich dem Hengst zum ersten Mal in seinem Leben einen Sattel auf. Wild West tat, als sei dieses Ding auf seinem Rücken das schlimmste Ungeheuer der Welt, wie er es bei allem Neuen tat, was ich ihm präsentierte. Es war harte Arbeit, doch schon nach zwei Trainingseinheiten hatte ich ihn so weit, dass er Sattel, Trense und Reiter problemlos akzeptierte.

Monty wollte Wild West in der Halle unter dem Sattel sehen. Bisher hatte ich nur bei diesen Trainingseinheiten im Roundpen kurz auf ihm gesessen. Noch nie zuvor hatte dieses Pferd unter dem Reiter eine Halle von innen gesehen. Ich ließ mir weiterhin nicht anmerken, wie wenig ich mit dem Pferd gearbeitet hatte, setzte mich in den Sattel und konnte Wild West reiten, als hätten wir es monatelang geübt. Manchmal glaube ich, dass Pferde noch weit mehr verstehen, als wir es uns jemals vorstellen können. Monty war begeistert und Wild West von nun an täglich unterm Sattel.

Das Ziel war klar: Der Hengst sollte auf die Rennbahn. Eine Tatsache, die nicht nur in Fachkreisen für einigen Wirbel sorgte. Monty Roberts gab zum ersten Mal in Deutschland ein selbst gezogenes Pferd ins Training. Man durfte gespannt sein. Als wir das Pferd an der Rennbahn beim Trainer ablieferten, wo er nun in die tägliche Arbeit genommen werden sollte, war mein sehnlichster Wunsch, dass alle von der Unkompliziertheit, Umgänglichkeit und dem Charme dieses Pferdes beeindruckt sein würden. Wild West sollte ein Paradebeispiel abliefern. In gespannter Erwartung ließen wir ihn an diesem Abend in den Händen seines neuen Trainers zurück.

Am nächsten Morgen um halb acht klingelte mein

Telefon. Am anderen Ende war der Trainer, mit dem mich ein durchaus freundschaftliches Verhältnis verbindet: »Was hast du uns da für einen Satansbraten geschickt? Der steigt, beißt, tritt. War der überhaupt schon mal unter dem Sattel? Wir versuchen seit einer Stunde vergeblich, ihn zu satteln.«

Ich amüsierte mich köstlich. Das war typisch. Und das bei Montys Pferd, von mir trainiert. Der Rennstall amüsierte sich mit mir. Es stimmte, dass Wild West seinem Namen alle Ehre machte. Er war bei allem Neuen argwöhnisch und widersetzte sich konsequent und direkt. Hatte ich tatsächlich angenommen, das Pferd auf alle Eventualitäten der Rennbahn vorbereitet zu haben? Falsch. Als ich am Stall ankam, wurde mir schlagartig bewusst, welches Detail ich übersehen hatte…

Jeder Jockey reitet mit seinem eigenen Sattel. Um Krankheiten wie Pilzen in der Gurtlage vorzubeugen, wird daher ein Plastiküberzug um den Gurt gelegt. Ein Plastiküberzug, der sich durch ein befremdliches Knistern auszeichnet. Sobald der Hengst dieses Knistern hörte, stürmte er davon.

Tags darauf reiste ich nach Bremen, um mit dem Pferd zu arbeiten. Innerlich leicht belustigt, äußerlich jedoch mit allem gebotenem Ernst begann ich mit dem Training. Nach einer konzentrierten Trainingseinheit von einer halben Stunde war das Problem erledigt. Wild West ließ sich satteln. Der Trainer konnte mit seiner Arbeit beginnen. Er machte danach keine weiteren Probleme mehr. Außer Frage stand damals wie heute die Charakterstärke dieses Hengsts. Er reagiert schon auf den kleinsten Fehler des Menschen und sorgt umgehend für die entsprechenden Schwierigkeiten. Sobald er aber Kompetenz erkennt, ist er das liebenswerteste

Pferd überhaupt. Wild West ist nach wie vor einer der besten Lehrer für meine Schüler. Keiner zeigt deutlicher als er, ob man etwas richtig macht oder nicht.

Für Monty Roberts und mich stand wieder eine längere Tournee an. Wir reisten von einer Stadt zur nächsten und machten unsere Vorführungen. Als eines Tages die Bremer Rennbahn auf unserer Route lag, wollten wir voller Spannung begutachten, welche Fortschritte Wild West im Training gemacht hatte. Wir hatten gehört, dass er an der Startmaschine nicht immer ganz einfach sei. Ein Fernsehteam wollte uns begleiten und Monty Roberts mit seinem Pferd auf der Rennbahn filmen.

Ich war etwas aufgeregt. Drei Monate hatte ich Wild West nicht gesehen. Wie würde er sich gemacht haben? Er sei gut im Training, hatte man uns gesagt. Wir könnten uns gleich selbst davon überzeugen. Nach unserer Ankunft ging ich direkt in den Stall. Der Hengst hob nicht einmal den Kopf. Er erkannte mich nicht. Ich war erstaunt. Nie hatte ich mir die Frage gestellt, wie gut der Wiedererkennungssinn bei Pferden ist. »Erkennt er mich nicht wieder?«, fragte ich Monty neugierig und zugegebenermaßen etwas enttäuscht. Wie konnte das sein, nach nur drei Monaten? »Nein«, entgegnete Monty knapp. »Er erkennt dich nicht.«

Mein Pferd, dem ich alles beigebracht hatte, erkannte mich nicht. Wie war das möglich? Pferde haben nur die aktuell relevanten Dinge präsent, alles andere tritt in den Hintergrund. Sie verfügen über ein immenses Erinnerungsvermögen, aber erst wenn ein bestimmter Stimulus auftaucht, ergibt das Bild einen Sinn, wofür ein assoziatives Bild genügt. Das war eine neue Erkenntnis für mich, eine neue Erfahrung.

Das Training verlief hervorragend. Danach gingen wir zur Startmaschine. Der Kameramann drehte. Wild West benahm sich ausgesprochen schlecht, wollte nicht in die Startmaschine gehen und stieg. Ich griff ein, ließ das von Monty entwickelte Dually-Halfter wirken und richtete den Hengst, nachdem seine Vorderfüße wieder auf dem Boden angekommen waren, sehr bestimmt rückwärts.

Plötzlich hielt das Pferd scheinbar überrascht inne. Regelrecht staunend blickte Wild West in meine Richtung. Monty lachte und rief: »Jetzt weiß er, wer du bist.« Wild West staunte immer noch, und ganz plötzlich rückte er näher an mich heran, schnappte sich den Schieber meines Reißverschlusses und zeigte den Trick seiner Jugendzeit: ritsch-ratsch, Jacke auf, Jacke zu. Schallendes Gelächter. Monty blinzelte mir verschmitzt zu, denn er hatte gleich begriffen, dass ich dem Pferd diesen Quatsch beigebracht hatte.

STARLIGHT

Starlight war ein fantastisches Rennpferd, ein Traum. Auf den ersten Blick sah man bereits, welches Potenzial in der Stute steckte. Sie zu reiten fühlte sich an wie ein Schweben. Weil es dem Trainer nicht gelang, Starlight mit der Startmaschine vertraut zu machen, kam das Pferd zum Training zu mir. Die Arbeit mit der Stute lief reibungslos, und ich konnte ihr schnell die Angst vor der Startmaschine nehmen. Schon kurze Zeit später sollte Starlight debütieren. Ihr erstes Rennen. Ich kontaktierte den Trainer des Pferdes. Es kam wirklich darauf an, dass er die Stute beim Führen in die Startmaschine richtig behandelte. Er durfte keinen Fehler machen. Und weil sich in Deutschland nur das Fachpersonal selbst am Renntag an der Startmaschine aufhalten darf, würde ich keine Möglichkeit haben, ihn vor Ort zu unterstützen.

Ich bot dem Trainer an, ein paar Tage vor dem Rennen in seinen Stall zu kommen und einem seiner Helfer eine Einweisung zu geben, damit dieser am Renntag wusste, was zu tun sei, falls die Stute Schwierigkeiten machen sollte. Nicht unbedingt begeistert nahm er an. Ich reiste zur Rennbahn, brachte meine Sachen ins Hotel, fuhr zum Trainingsstall. Zu meiner Verwunderung traf ich am Trainingsstall keine Menschenseele.

Ich wartete und wartete, schließlich rief ich den Trainer an. Was ich denn wolle und warum ich nicht allein arbeite, fuhr er mich an. Ich wisse doch, wo die Stute steht. Und damit ich mit ihr arbeiten könne, brauche er ja schließlich nicht dabei zu sein. Ich erklärte ihm höflich, dass genau hier der Knackpunkt lag. Dass es darum ging, ihm oder seinem Personal zu zeigen, worauf unbedingt zu achten sei, damit es keine Probleme mit dem Pferd gebe.

Der Trainer blieb ungerührt. Ich arbeitete mit der Stute noch einige Male an der Maschine, um sicherzugehen, dass es am Renntag selbst funktionieren würde, und reiste dann unverrichteter Dinge wieder ab. Dem Trainer gab ich noch mit auf den Weg, dass der Jockey das Pferd während des Rennens unter gar keinen Umständen mit der Peitsche schlagen dürfe. Keine Peitsche, auf gar keinen Fall.

Am Renntag verfolgten Monty Roberts und ich die Läufe im Fernsehen. Starlight wurde an die Startmaschine herangeführt, die Stute scheute leicht, ging dann jedoch relativ flüssig in die Box. Ich freute mich riesig. Mein Job war bis hierhin erfüllt. Die Spannung stieg. Nun knallten die Türen auf, das Rennen lief. Starlight hatte einen sauberen Start hingelegt und ging direkt in Führung. Sie lief fabelhaft. Am Einzug zur Zielgeraden lag die Stute mit drei Längen vorn. Das Feld hatte sie weit hinter sich gelassen.

Plötzlich ging alles ganz schnell. Wir sahen nur, wie der Jockey herunterfiel und das Pferd reiterlos durchs Ziel ging. Wieder und wieder studierten wir die Aufzeichnung in Zeitlupe. Es gab unterschiedliche Auffassungen, warum die Stute gescheut hatte. Die einen meinten, der Grund sei, dass die Startmaschine auf gleicher Höhe gestanden habe. Aber das wäre für ein Pferd ein allzu komplizierter Gedankengang. Monty sah genau hin – was machte denn der Jockey? Natürlich hatte er eine Peitsche dabei, da sie noch immer zum Pflichtequipment im Rennsport gehört. Aber was tat er? Drei Längen in Führung. Sicherer Sieg. Er holte in einem weiten Bogen aus und schlug mit der Peitsche auf die Stute ein.

Mir blieb beinahe das Herz stehen. Als der Schlag die Flanke der Stute traf, scheute das Pferd und sprang entsetzt nach links zur Seite. Der Jockey stürzte, das Ergebnis war ein doppelter Oberschenkelhalsbruch. Das Pferd ging ohne Reiter mit mehreren Längen Vorsprung ins Ziel. Einmal noch lief Starlight nach diesem Rennen und gewann überragend. Das letzte Mal. Danach wurde sie aus dem Sport genommen, weil sie immer wieder Schwierigkeiten in der Startmaschine machte. Mein Angebot, unter veränderten Bedingungen in Kooperation mit dem Trainer weiter mit ihr zu arbeiten, wurde nicht angenommen.

Als ich mit meiner Arbeit noch relativ am Anfang stand, begegnete mir Palme. Die Besitzer baten mich, die Stute zu trainieren, weil sie weder zu Hause noch auf einem Turnier, noch sonst wo auch nur in die Nähe eines klitzekleinen Wassergrabens ging, geschweige denn darüber sprang. Ein schwieriges Pferd im Umgang und erst recht unter dem Sattel. Als die Stute später auf meinen Hof kam, fragte mich ihr Pfleger neugierig: »Wer soll die denn hier reiten?« – »Ich«, lächelte ich ihn höflich an. Der einfache, kleinwüchsige Mann brach in schallendes Gelächter aus, räusperte sich und brüllte: »Und wo willst du das erste Mal anhalten? Im Elbtunnel, oder wo?« Er schlug sich mit den Händen auf die Schenkel und ging seiner Wege.

Bevor das Pferd zu mir gebracht wurde, befand es sich in einem professionellen Trainingsstall. Ich schaute mir die Stute im heimischen Umfeld an. Dort sollte uns die Tochter des Trainers das Pferd in der Halle vorstellen. Während sie mit dem scharf gezäumten Pferd kämpfte, schaute mich der Trainer plötzlich durchdringend an: »Wenn Sie glauben, hier irgendetwas machen zu können, irren Sie sich gewaltig. Wir haben schon alles probiert.« Das hatten sie, wie sich herausstellte. Der Trainer zählte auf: in Kühltaschen gepackte Beine, Elektroschocks, Splitter in den Gamaschen, Nägel auf den Sprungstangen, langes Stehen im Wasser und nicht zuletzt eine blau gestrichene Box – völlig umsonst.

Die Tochter des Trainers versuchte nun, das Pferd durch die Reithalle auf den Außenplatz zu dirigieren, wo die Stute ihr gestörtes Verhältnis zu Wassergräben zur Schau stellen sollte. Praktisch nur auf den Hinterbeinen laufend, tobte das immer wieder steigende Pferd durch die Halle. Die Reiterin war entschlossen, eine große Vorführung zu inszenieren. Ein Riesentheater, lautes Geschrei. Das Pferd sollte unbedingt über ein paar Stangen treten und eine winzige Wasserpfütze überspringen. Nach dem zehnten Versuch hatte ich genug gesehen, wollte, dass sie aufhörte. »Ich mach's, ich nehme das Pferd ins Training!«, rief ich. Aber sie beharrte darauf, dass das Pferd mit seinen Allüren nicht durchkommen dürfe. Nach dem hundertsten Versuch stolperte die Stute über die Stangen und landete im Wasser. Endlich ging die Vorstellung zu Ende.

Bei mir auf dem Hof gab die wasserscheue Stute im JOIN-UP alles, 200 Prozent. Dieses Pferd wollte nicht böse sein, es war weder aggressiv noch unwillig. Noch ahnte ich nicht, dass die Stute für mich unvergesslich bleiben würde. Sie sollte eines meiner wichtigsten Lehrpferde werden, aber nicht in Bezug auf ihr eigenes Verhalten. Durch sie sollte ich erkennen, dass es oftmals die Menschen sind, an denen wir scheitern – nicht die Pferde. Meine größten Lehrer im Umgang mit Menschen waren die Pferde.

Palme hatte es zu einer gewissen Perfektion darin gebracht, vor einem Hindernis abzuspringen und in der Luft eine Drehung zu vollführen. Wenn man eine solche Überraschung nicht sitzen konnte, sah man das Pferd im Handumdrehen von unten. Auf keinen Fall wollte ich dem Pferd ein solches Erlebnis bieten, das eine negative Assoziation mit Sprung und Reiter geschaffen hätte. Ich arbeitete ruhig, psychologisch korrekt, sodass es nach und nach unterschiedlichen Anforderungen gerecht werden konnte. Palme entwickelte sich hervorragend, der Umgang war harmonisch und unkompliziert.

Auch beim Springen über Wassergräben machten wir große Fortschritte. Kontinuierlich arbeiteten wir uns an die 2,50 Meter heran, und nach kurzer Zeit hatten wir schon die vier Meter geschafft. Immer mehr verlor das Pferd seine Angst vor dem Wassergraben. Alles lief perfekt. Mit der Zeit merkte ich allerdings, dass sich die Besitzer desto mehr von mir abwandten, je umgänglicher das Pferd und je größer meine Trainingsfortschritte wurden. Als sie sahen, dass unsere Methoden funktionierten und ich das schaffte, was zahllose Experten zuvor vergeblich versucht hatten, wurden sie ablehnend. Ein psychologisches Phänomen.

Noch vor der ersten Trainingseinheit hatte ich ihnen in einem langen und ernsten Gespräch erklärt, dass das Pferd mindestens ein halbes bis ein Jahr von mir trainiert werden müsse, damit ein nachhaltiger Erfolg gewährleistet wäre. Eine Prognose, die damals auf vollstes Verständnis stieß.

Das Training verlief weiterhin leicht und harmonisch. Nichts, was dieses Pferd einmal gegeben hatte, nahm es wieder zurück. Auf meine Bitte hin begutachtete Monty Roberts die Arbeit. Er empfahl, einen professionellen Springreiter – ähnlich einem Jockey im Rennsport – zu suchen, der mit meiner Hilfestellung gewaltfrei weiter mit dem Pferd arbeiten könnte. Dieser Vorschlag stieß auf wenig Gegenliebe. Sie wollten den professionellen Reiter nicht. Wir würden sehen. Ich hatte bereits eine geeignete Person für das folgende Training im Auge. Zu diesem Zeitpunkt machte die Stute nicht mehr die geringsten Schwierigkeiten. Sie war Weltklasse, ruhig und ausgeglichen.

Als ich am nächsten Morgen in den Stall kam, war das Pferd weg, und das Projekt fand damit ein abruptes Ende. Das Verhalten der Besitzer machte mir bewusst, dass ich die Pferde, derer ich mich annahm, nicht allein nach ihrem Problemverhalten auswählen durfte, sondern auch nach den Menschen in ihrem engsten Umfeld.

Menschen

Am meisten bewegen mich jene Geschichten, die für das Pferd negativ ausgehen, weil seine Umgebung ihm verwehrt, zu verstehen und verstanden zu werden. Erfahrungen wie diejenigen, die ich mit Palme und seinen Besitzern gemacht hatte, ließen mich letztlich einsehen, meinen Weg zu ändern: nicht das Pferd war das Problem für mich, sondern der Mensch.

»Fritze ist Spitze!«

Mit Fritz hatten die Eltern ihrer Tochter einen Wunschtraum erfüllt. Das Pferd war ein echtes Springtalent, die ersten Turniererfolge stellten sich schnell ein. Bald waren Reiterin und Pferd ein gutes, eingespieltes Team. Doch mit fortschreitender Pubertät veränderte sich das Mädchen. Zunächst beinahe unmerklich für die Außenwelt, nahmen Ungeduld, Arroganz und Zorn zu. Fritz quittierte die neuen Allüren seiner Besitzerin mit schlechteren Leistungen im Parcours. Immer lustloser und widerwilliger ließ er sich reiten, bis er eines Tages ganz aufhörte zu springen. Nichts ging mehr. In der Hoffnung, das Pferd wieder zur alten Form zurückzubringen, meldeten sich die Eltern mit der Bitte um Hilfe bei mir.

Ich fuhr mit dem Pferd zu einer renommierten Reitanlage mit einem hervorragenden Parcours. Fritz machte anfänglich einige Probleme, die sich aber mithilfe von JOIN-UP und ein paar positiven Verstärkern am Sprung schnell beseitigen ließen. Nach einigen Tagen im Training konnte ich mit ihm einen makellosen Parcours absolvieren. Staunen bei den Besitzern: Als echtes »Familienmitglied« wurde Fritz nach jedem fehlerfreien Parcoursdurchlauf lauthals und mehrstimmig mit der Parole »Fritze ist Spitze!« angefeuert. Das Familienleben drehte sich überwiegend um ihn und um die Tochter des Hauses. Fritz bereitete Papa Spaß, weil dieser ihn zum Turnier fahren und dort betreuen konnte, während die Mama vollends in der Versorgung ihrer Lieben mit Lunchpaketen und allen organisatorischen Notwendigkeiten aufging.

Für den folgenden Tag verabredeten wir uns wieder am Springplatz. Nun sollte das Mädchen selbst mit dem Pferd springen. Ich erklärte die Details: Am langen Zügel sollte sie Fritz ohne Druck zunächst an einen kleineren Sprung heranreiten. Als »neue« Denkweise versuchte ich ihr nahe zu bringen, dass sie ihr Ego sowie die damit verbundene Anspannung und Aggression ausschalten, dem Pferd Zeit geben und selbst größtmögliche Ruhe und Souveränität ausstrahlen sollte. Keine leichte Aufgabe für eine pubertierende 16-Jährige. Aber sie verstand – und gab alles.

Das Mädchen war voller Tatendrang und Lernbereitschaft, um ihren »alten« Fritz wiederzubekommen. Es schien, als hätten sie sich irgendwo auf dem Weg verloren und würden sich nun neu entdecken. Fritz sprang einwandfrei. Es ertönte die Parole der Familie. Tränen flossen. Der Anfang war gemacht.

Nun kam es darauf an, diesen Erfolg weiter zu festigen. Es ging dabei gar nicht so sehr um das Pferd Fritz, im Vordergrund stand vielmehr der Mensch. Einige Tage später erlebten wir eine Schlüsselszene, die uns vollends über die Ursachen der angeblichen Unlust und Verweigerung des Pferdes im Parcours aufklärte.

Während unseres Trainings kamen drei junge Herren mit ihren Pferden auf den Springplatz und wurden von dem Mädchen sofort registriert. Was wir nun zu sehen bekamen, war erstaunlich: Binnen kurzem veränderten sich die Grundhaltung und die Ausstrahlung der jungen Reiterin komplett. Sobald sie den ersten Blick mit den Jungs gewechselt hatte, war alles gerade Erlernte vergessen. Der bis eben ganz entspannte Fritz wurde verbissen an den Zügel gestellt. Während sie ihn von hinten ununterbrochen aggressiv in den Bauch trat und übertrieben vorwärts schickte, hielt sie ihn vorn eisern zusammen und riegelte ihn mit den Zügeln durchs Genick.

Jeder zweite Blick ging zu den Jungs hinüber, die ihre Pferde auf ganz ähnliche Art und Weise behandelten. Fritz war überrascht. Zu unerwartet kam dieser Sinneswandel für ihn. Wieder blinzelte das Mädchen zu den Jungs hinüber und bereitete dem Pferd mit Schenkel und Gebiss Schwierigkeiten. Ganz entgegen unserer Absprache, mit kleinen Schritten zu beginnen, ritt sie nun unvermittelt einen weiten Sprung an. Verbissen trieb sie das Pferd voran – Fritz verweigerte und blieb stehen.

Das Mädchen tobte vor Zorn. Sie riss das Pferd herum, galoppierte zu uns herüber und brüllte mich an, dass Fritz einfach nicht funktioniere. Ich würde es doch sehen. Die Quintessenz ihrer haarsträubenden Hasstirade war: Mein Training habe überhaupt nichts gebracht. Und ich solle sie gefälligst in Ruhe lassen. Vor den Augen ihrer Eltern schmiss sie mir alles vor die Füße.

Ich bot ihr an, es noch einmal selbst zu versuchen, und saß auf. Ohne das geringste Zögern sprang Fritz einen ganzen Parcours in geringer Höhe fehlerfrei durch. Nun schien den Eltern sonnenklar zu werden, dass das Pferd zu keinem Zeitpunkt das Problem gewesen war, sondern allein die pubertäre Hochsaison des Fräulein Tochter. Sie standen an der Bande und begriffen die Welt nicht mehr. Später wurde Fritz verkauft, weil das Mädchen ein »besseres« Pferd brauchte.

KLEINER STICH, GROSSE WIRKUNG

Der voll klimatisierte Lkw, eine Edelkarosse von Pferdetransporter, rollte auf den Hof. Ihm entstieg ein ebenso edles Pferd, ein ästhetischer Spitzenathlet, der bereits namhafte Grand-Prix-Erfolge vorzuweisen hatte. Ein Topsportler, der in seinem Leben mehr Zeit mit vier Hufen in der Luft als auf dem Boden verbracht hatte. Sein ehemaliger Reiter hatte sich bei einem Unfall schwer verletzt, nun hatten Menschen das Pferd gekauft, die ebenfalls im großen Sport zu Hause waren und noch viel von ihm erwarteten.

Nur ein Problem stellte sich der großen Karriere in den Weg: Das Pferd ließ sich nicht spritzen. Kein seltener Fall; im Lauf meiner Karriere waren mir schon zahlreiche solcher Pferde begegnet. Seit einem Jahr versuchten die neuen Besitzer, den Wallach impfen zu lassen. Vergeblich. Da sie viel Geld und Mühe in die weitere

Ausbildung und das Training des Pferdes investierten, wollten die Besitzer natürlich nicht das Risiko auf sich nehmen, dass eine kleine Kolik oder Verletzung zu einer ernsthaften Gefahr wurde.

Ich nahm das Pferd zu mir ins Training. Die Besitzer interessierte in erster Linie, wann sie den Wallach wieder abholen könnten. Schwitzend und voller Nervosität stand er in der Box. Ich sah diese typische Anspannung, die sich häufig bei Pferden findet, die ihr Leben isoliert, ohne soziale Kommunikation verbringen müssen. Nicht nur bei Sportpferden, sondern auch in der Freizeitreiterei tauchen derartige Probleme auf. Ansätze zum Weben, einer Verhaltensstörung, waren bereits erkennbar.

Für dieses athletische Springpferd hatte offenbar nie jemand eine echte, vertrauensvolle Anführerschaft übernommen. Immer war der Wallach auf sich allein gestellt gewesen. Die Menschen um ihn herum erzeugten Lippenlärm, heute so, morgen so – sie erreichten das Pferd nicht in seiner Welt, in der es keine Worte gibt. Das Ergebnis war eine tiefe Unsicherheit gegenüber den nicht vorhersehbaren menschlichen Aktionen. Für ein Lebewesen, dessen größtes Glück das Dasein in der Gruppe, im Herdenverband bedeutet und dessen soziale Intelligenz vielleicht seine größte Kompetenz ist, ein trauriger Zustand. JOIN-UP und die nonverbale Kommunikation mit Pferden können diese Kluft überbrücken. Aufgrund der Verlässlichkeit, die durch die Körpersprache vermittelt wird, stellen sich Ruhe und Sicherheit ein.

Viele Pferdekenner beherrschen die Grundlagen von JOIN-UP, ohne die eigentlichen Hintergründe ihres Tuns zu kennen und ohne zu wissen, dass sie den gleichen Prinzipien folgen wie wir in unserer Arbeit. Häufig ist zu beobachten, wie Pferde sich an Pflegern mit einer verlässlichen Körpersprache und einem geringen verbalen Umgang orientieren. Solche Menschen vermitteln ihnen Sicherheit. All das fehlte diesem Pferd in seiner starren Ausrichtung auf Sport und Funktionalität. Jedoch war dafür nicht der Sport an sich verantwortlich, sondern die Art des Umgangs seiner Besitzer.

Sobald man sich dem Wallach in der Box mit einem medizinischen Instrument, etwa einem Fieberthermometer oder einem Stethoskop, näherte, begann er nach vorn auszuschlagen, sich blitzschnell zu drehen und orientierungslos in der Box zu kreiseln. Er ging ohne große Vorankündigung zum Angriff über. Dies wiederum provozierte ein aggressives Verhalten bei den jeweiligen Trainern und Tierärzten. Die Spirale der Gewalt schraubte sich immer höher. Wir mussten ganz langsam beginnen, den kleinsten gemeinsamen Nenner zu finden, etwas Positives, wofür wir das Pferd belohnen konnten, anstatt darauf zu warten, dass es etwas falsch machte, und es dafür zu bestrafen.

Vertrauensbildende Maßnahmen schufen das Fundament, auf dem wir das so genannte Shaping, das Formen, aufbauen konnten. Nach und nach kehrte Ruhe in das Pferd ein. Die Menschen in seiner Umgebung wurden vorhersehbar für das Tier, sodass es sich entspannen konnte und die Angst verlor. Mittlerweile war ich sogar in der Lage, den Vorgang des Spritzens am Pferd zu imitieren.

Die Spritze tatsächlich intravenös zu setzen überschreitet meine Kompetenz, also mussten wir einen Tierarzt hinzuziehen. Alle vorbereitenden Handgriffe konnte ich ausführen, und unser Haustierarzt sollte dem Pferd schließlich die erste richtige Spritze geben. Es wurde ein kolossaler Misserfolg. Das Pferd reagierte negativ, Puls und Adrenalinspiegel schnellten nach oben, und die bekannten aggressiven Verhaltensmuster traten wieder hervor. Der Arzt konterte mit der üblichen Gegenaggression und mit verbalen Drohgebärden. Ich verhinderte jedes weitere Eskalieren von Gewalt und machte mich auf die Suche nach einem anderen Tierarzt. Schließlich fand ich eine Tierärztin, die auch Expertin für Akupunktur war.

Als wir gemeinsam mit dem Pferd im Roundpen standen, sagte ich: »Jetzt sehen Sie etwas, weswegen viele uns Spinner nennen.« Sie lächelte. »Das ist okay, so werde ich auch oft genannt.« Ich erklärte ihr, dass wir kooperieren müssten, wann und wie sie den negativen Stimulus entfernen sollte und wie wir weiter vorgehen würden. Es funktionierte. Hand in Hand und ohne jedes Adrenalin arbeiteten wir zusammen, verstanden uns ohne ein Wort. Selten war mir eine so kooperative und verständnisvolle Expertin begegnet. Das war viel versprechend.

Zeit spielte für uns keine Rolle, es zählte nur der Erfolg der kleinen Schritte, die volle Kooperation. Die Besitzer sahen das anders. Wir begannen dennoch mit der Akupunktur. Ich hatte die Idee, mit dem »Stich« einer Nadel eine positive Assoziation herzustellen. Problemlos konnte die Tierärztin die erste Akupunkturnadel setzen. Das Pferd blieb ganz ruhig.

Am übernächsten Tag ging es in Anwesenheit der Besitzer weiter. Wir hatten den kritischen Punkt erreicht und überschritten. Es war keine Angst mehr in diesem Pferd. Stattdessen strahlte es die spürbare Ruhe aus, die wir so schätzen. Die Tierärztin und ich standen bei dem

Wallach im Roundpen. Gleich würde sie wieder eine Akupunkturnadel setzen. Ich stand am Kopf. Doch was war das? Da tropfte etwas Blut auf den Boden. Sie hatte eine intravenöse Kanüle gesetzt und war gleich in die Vene gegangen. Einfach so. Wie nebenbei, ganz unspektakulär. Ich sagte der Besitzerin, dass wir das Pferd gerade gespritzt hätten. »Prima« war alles, was sie antwortete, während ich innerlich fast platzte vor Stolz auf dieses Pferd. Es hatte hier und jetzt damit begonnen, Großartiges zu leisten.

Pferde vergessen nichts, aber vergeben alles. Was immer geschehen war, gehörte der Vergangenheit an. Sollten wir so weiterarbeiten, würde sich dieses Pferd bald in jeder Lebenslage spritzen lassen. Ich erklärte der Besitzerin, dass wir nun die nächsten Schritte einleiten müssten: Shaping, Umgebungsveränderung, Personenwechsel. Jede kleinste Veränderung konnte einen Rückschlag bedeuten. Auch wenn das Spritzen hier in dieser Umgebung problemlos ablief, war es durchaus möglich, dass das Pferd zu Hause in die gewohnten Verhaltensmuster zurückfallen würde, da es die alten Bilder assoziierte. Das hatte nichts mit der Fähigkeit eines Tierarztes zu tun, sondern allein mit der Natur, mit dem assoziativ arbeitenden Gehirn eines Pferdes. Wir mussten die negativen Assoziationen auch im heimischen Umfeld abbauen.

Bei der ersten Vorstellung hatten uns die Besitzer auf einem Video das Verhalten des Pferdes und ihr eigenes Vorgehen demonstriert. Zur Behandlung durch den Tierarzt fixierten sie den Wallach unter einem Pferdesolarium rechts und links, sodass er beim Steigen mit dem Kopf gegen die Decke und die Lampen stieß. Es schepperte und krachte. Das Pferd war nahezu bewegungsunfähig. Dabei waren bereits mehrere Unfälle geschehen. Würden die Besitzer ihr Pferd erneut in jenes Solarium sperren, um es beim Spritzen ruhig zu halten, und würde der Tierarzt mit lautem Geschrei zur Sache gehen, könnte unser Trainingserfolg schnell zunichte gemacht werden.

Das Pferd war bereit für die Heimreise. Immer wieder beschwor ich die Besitzerin, auf keinen Fall zu versuchen, das Pferd auf eigene Faust zu spritzen. Also besprachen wir, dass die Tierärztin und ich aus Hamburg kommen würden, um dem Pferd zu Hause die erste Spritze zu setzen, um sicherzugehen, dass negative Assoziationen tatsächlich der Vergangenheit angehörten. Die Besitzer wollten sich beraten und sich bei mir melden.

Ich hatte versprochen, die Fahrtkosten selbst zu tragen und außerdem kein Honorar zu verlangen. Für mich zählte nur, diesen Fall für alle Beteiligten, vor allem aber für das Pferd, zu einem guten Ende zu bringen. Die Tierärztin, die mit mir reisen sollte, um vor Ort die erste Spritze zu setzen, konnte natürlich nicht auf ein Honorar verzichten. Für nur 300 Euro wollte sie die Reise quer durch die Republik gemeinsam mit mir antreten. Ein großes Entgegenkommen, da sie einen ganzen Arbeitstag verlieren und mit dem eigenen Auto fahren müsste. Allein die Benzinkosten würden sicherlich 150 Euro betragen.

Die Besitzer fuhren mit dem Pferd ab. Ein Tag nach dem anderen verging, und ich wartete auf den Anruf, um die Details für den entscheidenden Einsatz und unsere weite Reise zu besprechen. Nichts rührte sich. Schließlich rief ich selbst an. Die knappe Aussage der Besitzer lautete: »Das Pferd lässt sich nicht spritzen.«

Ich traute meinen Ohren nicht. Gegen unsere Abmachung hatten sie es doch selbst versucht. Alles war umsonst gewesen. Ich fragte, warum sie denn nicht wie besprochen auf uns gewartet hätten. Die Besitzerin raunte in den Hörer: »Bei Ihnen stimmt doch etwas nicht. Dreihundert Euro für eine einfache Impfung.«

Aber es ging ja nicht um die Impfung, sondern um einen fortlaufenden Prozess, um das endgültige Überwinden der Angst! Ich hatte ihr das Kernproblem nicht erklären können. Wäre das Pferd noch einen Monat gegen Bezahlung bei mir geblieben, hätte es sicherlich keine Diskussion um die Kosten gegeben. Die menschliche Psyche gibt uns manches Rätsel auf. Welch eine Niederlage, welch eine Trauer!

Ich sagte, wir könnten kommen, um zu retten, was zu retten war. Ich wusste, dass es noch einmal gelingen würde, dem Pferd die Angst zu nehmen. Die Bedingungen wären die gleichen, sie müssten eben nur das Honorar für die Tierärztin tragen. Schweigen am anderen Ende der Leitung. »Sind Sie übergeschnappt? Eine Spritze für 300 Euro?«, waren die letzten Worte, die die Frau zu mir sagte, bevor sie auflegte.

TELEPATHIE?

Sie habe ein unreitbares Pferd, einen Buckler. Nichts könne man mit diesem Pferd machen, es ließe sich nicht einmal satteln. Die Frau am Telefon schien verzweifelt, und ich hörte mir ihre Geschichte an. Sie erinnerte mich an andere Gelegenheiten, bei denen sich Menschen im Umgang mit Pferden am Ende ihres Lateins fühlten und meine Hilfe suchten. Sie dramatisie-

ren den Fall so lange, bis ich nachhake und ihnen bei-
pflichte, dass sie vor einem schweren Problem stehen.
In diesem Moment schwenken sie um und versuchen,
alles vorher Gesagte zu relativieren und abzuschwä-
chen.

Ein fiktives Beispiel mag diesen Mechanismus ver-
deutlichen: Ich beschwere mich bei einer Freundin bitterlich über einen lieben Bekannten. Ich schimpfe, be-
schuldige ihn und schmücke die Situation aus. In dem
Moment aber, in dem meine Freundin auf meine Ge-
mütsverfassung einschwenkt und mir beipflichtet, versuche ich, oftmals unbewusst, meinen Bekannten doch
wieder in ein günstigeres Licht zu rücken. Je mehr die
Freundin sich hingegen von meiner negativen Meinung
distanziert, desto stärker wende ich mich wieder dem
ursprünglichen Thema zu, nämlich dem Ärger über
meinen Bekannten. Genauso verhielt sich die Dame am
Telefon.

Vor allem beim Züchter ihres jetzt fünfjährigen Pferdes sah die Frau die Schuld für ihre unglückliche Situation. Von ihm habe sie das Pferd als Fohlen mit einer
»ganz tollen Abstammung« gekauft. Er versuche das
Pferd seit einem Jahr einzureiten, könne es auch ab und
zu reiten, aber eigentlich doch nicht. Dieses Tier sei
wirklich lebensgefährlich und auch wieder nicht.
Einige Male habe er sein Leben riskiert, sei verletzt
worden – schlimm, aber doch nicht so sehr. Jetzt würde
er nicht mehr wagen, sich auf das Pferd zu setzen. Fast
nicht mehr, eben. Er sei Ausbilder, ein hervorragender
Pferdekenner. Ein harter Knochen – oder auch wieder
nicht. Die Schuld trage natürlich er, aber die Schuld in
die Schuhe schieben wolle sie ihm keineswegs…

Weil wir gerade eine Serie über das Training von

Problempferden drehten, bot ich der Frau an, ihr Pferd in die Auswahl meiner Kandidaten mit aufzunehmen, was sie erfreut begrüßte. Ein befreundeter Profireiter und Experte für Buckler aus den USA sollte das Pferd unter meiner Anleitung reiten.

Als der Wallach und seine Besitzerin bei mir auf dem Hof eintrafen, nahm sich zunächst meine Assistentin der beiden an. Sie liebe dieses Pferd über alles und habe es aus Mitleid übernommen, berichtete die Besitzerin meiner Mitarbeiterin. Mit vielen Abschweifungen erläuterte sie ihre Misere. Kurz darauf wollte auch ich hinausgehen, um die Neuankömmlinge zu begrüßen. »Und wie ist sie?«, fragte ich meine ins Haus tretende Mitarbeiterin. Sie setzte ein breites Grinsen auf und sagte: »Du wirst deine Freude haben.«

Ich ging hinaus, um die Frau und ihren Schützling willkommen zu heißen, aber sie war nicht da. Suchend lief ich über den Hof. Dann sah ich sie. Sie hatte das Pferd schon auf die Weide gebracht, schritt mit ihm auf und ab am Zaun entlang, zeigte ihm das Gras und redete wie ein Wasserfall auf den Wallach ein. Dass sie nicht mit dem Pferd im Duett graste und kaute, war alles. Ich schüttelte der Frau kurz die Hand und verwies sie für alles Weitere an meine Kollegin, die sich daraufhin in einem dreistündigen Berichts- und Beschwerdemarathon wieder fand. Der letzte Wunsch, den die Besitzerin an diesem Tag hatte, war, dass wir ihr ein Bett in den Stall stellen sollten, damit sie nachts vor der Box schlafen könne. »Er fühlt sich gerade nachts oft einsam«, fügte sie als Erklärung hinzu. Wir lehnten dankend ab.

Am nächsten Tag ging ich mit dem Pferd ins Roundpen. Was für ein Kraftprotz. Hier hatte ich es mit reinstem Dynamit zu tun. Nur ein falscher Atemzug, und das Pferd ging in die Luft. Jeder einzelne Muskel war zum Zerreißen gespannt. Das kann ja heiter werden, dachte ich. Das Pferd würde um sein Leben buckeln, sobald wir versuchten, einen Sattel aufzulegen. Dass hier eine längere Historie an schlechten Erfahrungen zugrunde lag, war mehr als deutlich.

Bei bestimmten Verhaltensweisen von Pferden sprechen wir im Englischen von den »drei F«: Flight, Freeze, Fight (Flucht, Einfrieren, Kampf). Wenn sie ihre natürliche Fluchtdistanz erreicht haben und keinen Ausweg aus der Situation erkennen, gibt es einen Punkt, an dem Pferde der vermeintlichen Gefahr einen Augenblick lang wie erstarrt (»eingefroren«) gegenüberstehen und diese »analysieren«. Ein Übersehen dieses Punktes, also das Überschreiten der emotionalen Grenze, kann zu einer Explosion führen. Dem Kampf geht also immer das Einfrieren voraus. In solchen Fällen ist es von größter Bedeutung, das weitere Vorgehen sensibel abzuwägen.

Ein Pferd, das richtig in Panik gerät, kann geradezu blind werden und unkontrollierbar reagieren. Es gerät buchstäblich in einen Tunnel der Angst, in dem es die Außenwelt nicht mehr wahrnimmt. Kein Signal der Umwelt dringt mehr zu ihm durch. Wenn man dann nicht imstande ist, der Situation professionell und gelassen zu begegnen, nimmt das Verhalten des Pferdes leicht lebensbedrohliche Formen an. Eine kompetente Reaktion hingegen kann das Pferd umgehend aus der Zwangslage befreien.

Mit Monty Roberts habe ich diesen Fall vor ausverkauften Rängen während einer Tournee erlebt. Monty arbeitete im Roundpen und hatte mit Mühe unseren Dummy-Reiter »Hermann« auf das Pferd bekommen. Dann explodierte das Tier förmlich, raste los und war nicht mehr zu stoppen. Ist dieser panische Fluchtzustand einmal erreicht, bleibt dem Menschen nahezu keine Möglichkeit einzugreifen.

Auch Monty konnte in diesem Moment allein im Roundpen nonverbal nichts ausrichten, um die Aufmerksamkeit des Pferdes zurückzugewinnen. Ich sah, wie es in seinem Kopf arbeitete. Das Pferd drehte eine Runde, dann eine zweite. Wir brauchten eine Lösung, er und das Pferd brauchten Unterstützung von außen. Und zwar zügig.

Ich weiß bis heute nicht, woher dieser Impuls kam, aber ich setzte mich in Bewegung und ging Auge in Auge mit Monty Roberts auf die Tür des Roundpen zu. Ich suchte nach Zustimmung. Immerhin war ich drauf und dran, ungebeten in seinen Trainingsprozess einzugreifen. Das Pferd raste völlig außer sich mit unverminderter Geschwindigkeit im Kreis. Monty hatte verstanden, ich hatte verstanden.

Ich öffnete die Tür des Roundpen, während das Pferd durch die dritte Runde hetzte. Und in dem Moment, als der Kopf des Pferdes an mir vorbeiflog, griff ich zu. Ich schnappte mir entschlossen den Zügel, zog den Kopf zu mir, die Schulter folgte, und das Pferd stand aufgeregt und schwer atmend vor mir. Monty blickte mich verblüfft an. Im nächsten Moment hatte er sich wieder gefasst und kam auf mich und das Pferd zu. »Danke«, sagte er knapp. »Gerne geschehen«, lächelte ich zurück.

Als ich mich wieder auf meinen Platz gesetzt hatte, überschwemmte eine Adrenalindusche meinen Körper. Was war das gewesen? Nicht auszudenken, was zwischen Monty und mir hätte geschehen können, wenn mir ein Fehler unterlaufen wäre. Ich hatte einfach reagiert und exakt im richtigen Moment zugegriffen.

Doch zurück ins heimische Roundpen, wo der kraft-
strotzende Wallach jeden Augenblick zu explodieren
drohte. Mit dem Dummy-Reiter hatte das Pferd mas-
sive Probleme. Nur langsam gewöhnte es sich an den
Anblick einer menschlichen Form auf seinem Rücken.
Als ich aber anschließend meinen Reiter Grant vorsichtig in den Sattel schob, ließ der Wallach das erstaunlich
ruhig über sich ergehen. Einen Schritt, einen zweiten –
er trug den Reiter ohne weitere Probleme. Allerdings
spürten wir deutlich seine Muskelanspannung. Jeder
klitzekleine Fehler würde bestraft werden. Wir arbeiteten hochkonzentriert. Immerhin riskierte ich eine Verletzung von Mensch und Pferd.

Wenn wir uns auf die Ebene der Kommunikation be-
geben und das Pferd uns sein Vertrauen schenkt, wenn
es sich bemüht, alles richtig zu machen, ist das immer
wieder ein ergreifender Moment. Am nächsten Tag
konnte Grant das Pferd bereits im Trab reiten, ohne
dass ich es führte. Am Tag darauf setzte ich mich auf
den Wallach. Die Anspannung war förmlich greifbar,
unter mir bewegte sich der pure Sprengstoff. Ich traute
mich kaum zu atmen. Nur ein falsch angespannter
Muskel von mir, und dieses Pferd würde explodieren.

Die Besitzerin hatte sich nach dem ersten Tag verab-
schiedet. Sie ertrage es nicht, beim Training zuzu-
schauen. »Zufällig« kam sie kurz darauf vorbei und
wurde Zeugin einer Trainingseinheit. Ich ritt ihr das
Pferd vor. Der Wallach bewegte sich angespannt, aber
dennoch harmonisch und ohne große Probleme zu be-
reiten. Die Besitzerin konnte es nicht fassen, sprachlos
beobachtete sie mich und das Pferd mit versteinerter
Miene.

Dann begann sie hemmungslos zu weinen. Über

Jahre hinweg hatte sie alles für dieses Pferd gegeben, nur das Beste gewollt und die Hoffnung nicht aufgegeben. Jetzt wurden alle ihre Bemühungen binnen kürzester Zeit ad absurdum geführt. Die Frau bestand darauf, den Züchter und Ausbilder zu holen, damit er mit eigenen Augen sehe, was mit diesem Pferd möglich war.

Tausende von Pferden und Hunderte von Pferdewirten hatte dieser Pferdewirtschaftsmeister nach eigenen Angaben in seinem Leben schon ausgebildet. Wir erklärten ihm unsere Methoden und beantworteten seine Fragen. Er hörte aufmerksam zu, nickte zustimmend und verstand. Wir hatten ihn überzeugt. Der groß gewachsene, bärenstarke Mann berichtete uns von seiner Arbeit mit dem Wallach. Selbst mit beiden Händen und unter Aufbietung aller Kraft habe er ihn nicht halten können. Der Besitzerin empfahl er ausdrücklich, den Wallach bei uns im Training zu lassen.

Eine Woche später hatte das Pferd nach intensiver Arbeit mit mir hervorragende Fortschritte gemacht. Der Wallach wurde ruhig und sichtlich entspannter in allen Lebenslagen. Wieder einmal ergriff mich die Faszination dieser Ruhe, die Pferde ausstrahlen, wenn ein gravierendes Problem gelöst, eine Phobie bewältigt und die generelle Angst genommen wird. Es ist sehr bewegend, wenn die Isolation, wie ich es ausdrücke, ein Pferd verlässt und es ein Team mit dem Menschen bilden kann, wenn sich die Möglichkeit der Zwei-Wege-Kommunikation eröffnet.

Dann rief mich die Besitzerin an, der Wallach werde umgehend abgeholt. »Warum?«, stotterte ich völlig überrascht ins Telefon. Sie habe das Bild ihres Pferdes einer Telepathin geschickt, die in »Kontakt« zu dem Wallach getreten sei. Die Seele ihres Pferdes habe darum gebeten, zu ihr nach Hause kommen zu dürfen. Sie fehle ihm... Das war's. Weder die Frau noch das Pferd habe ich jemals wiedergesehen. Der Wallach wurde kurze Zeit später mit dem Prädikat »unreitbar« auf einer Koppel abgestellt. Scheinbar hat niemand mehr gewagt, sich auf dieses Pferd zu setzen. Der Pferdewirtschaftsmeister bedauerte die Entscheidung.

HEINZ

Als Teilnehmer an einem meiner mehrwöchigen Seminare war Heinz von Anfang an auffallend aufmerksam und wissbegierig gewesen. Er machte konzentriert mit, wollte alles lernen und gab alles. Mit vollem Einsatz und ganzem Herzen folgte er den Inhalten. Dennoch war sein Verhalten mir gegenüber geprägt von einer latent fühlbaren Aggressivität. Er unterstellte mir Fehler, wies mich hier und da zurecht und schien die ganze Zeit von sich selbst blockiert zu sein.

Ich mochte ihn trotzdem, weil er so unbedingt und um jeden Preis lernen wollte. Ich erinnerte mich an Pepper und daran, was dieses Pferd mit mir, meinem Ego und meiner damaligen Aggressivität im Roundpen gemacht hatte, und hoffte, Heinz mit einem ähnlichen Pferd konfrontieren zu können. Vielleicht würde ich so Aufschluss über sein merkwürdiges Verhalten bekommen.

Das Pferd, das ich ihm gab, schlug beim Schmied und zeigte im allgemeinen Grundverhalten einen gewissen Hang zur Aggressivität. Ich wollte herausfinden, wo die Grenzen dieses Mannes lagen. Heinz betrat das Roundpen, näherte sich dem Pferd und versuchte, das

JOIN-UP zu beginnen, indem er das Pferd wegschickte. Es funktionierte nicht. Er kam nicht in die so genannte Driving Position – eine Stellung im 45-Grad-Winkel zum Kopf des Pferdes –, um es wegzuschicken. Das Pferd drehte sich immer mit. Wieder und wieder versuchte Heinz, sich richtig zum Pferd zu stellen. Vergeblich. Er rannte auf dem Hufschlag im Kreis, während sich das Pferd mehr und mehr in die Mitte des Longierzirkels bewegte. Wer machte hier JOIN-UP mit wem?

Man spürte förmlich, wie sein Adrenalinspiegel stieg. Er wurde wütend, nichts ging. Langsam drehte Heinz durch, schlug dem Pferd mit der Longe ins Gesicht, damit es weggehe. Schweigen. Wie aus einem Vulkan brach die Aggressivität aus diesem Menschen hervor. Spürbar, sichtbar. Die Kursteilnehmer erstarrten, die Luft war zum Schneiden. Der Mann hatte die Kontrolle verloren. Wir brachen das JOIN-UP ab. Entrüstet, außer sich und blamiert, verließ Heinz das Roundpen.

Wie konnte die Situation ihm zeigen, dass er keinen Kampf gegen das Pferd, sondern ausschließlich gegen sich selbst führte? Konnte ich ihn trotz seiner ablehnenden Haltung noch erreichen? Die Teilnehmer hatten das JOIN-UP gefilmt. Nun, in versammelter Runde, analysierten sie Heinz' Wutausbruch. Sie waren aufrichtig schockiert und meinten, diesen netten, hilfsbereiten, freundlichen Menschen nicht wieder zu erkennen. Ihre Analyse fiel äußerst kritisch aus: Heinz hatte ein massives Aggressionspotenzial gezeigt, das er selbst nur schwer kontrollieren konnte.

Heinz reagierte bravourös. In einigen Anläufen versuchte er zwar, sich gegenüber den anderen Teilnehmern zu verteidigen, erkannte dann aber, dass das faktisch nicht möglich war. Er sah anscheinend plötzlich ganz klar und zeigte sich sehr nachdenklich über sich und sein Verhalten im Roundpen. Einen Moment lang schien der Mann in sich hineinzuhorchen – dann versank er für mich in seine eigene Welt. Heinz verabschiedete sich am Ende des Seminars mit einem kühlen Händedruck bei mir.

Es ist immer wieder faszinierend, was die Arbeit mit Pferden aus Menschen machen kann. In meinen Seminaren habe ich das oft beobachten können. Manche kommen mit einem bestimmten Bild von sich selbst angereist, halten sich für versierte Pferdeleute, für sanft und geduldig. Im Prozess des Lernens beginnt dieses Bild zu bröckeln, weil die Defizite aufgedeckt werden. Ungeduld und Aggression treten zutage, nicht selten stoßen die Menschen im Roundpen zum ersten Mal an ihre Grenzen.

Dann beginnt in der Regel die Phase der Rechtfertigung und der Diskussion. Ein Versuch, der von Anfang an zum Scheitern verurteilt ist. Zu klar wird erkennbar, welche Verhaltensmuster aus welcher Motivation herrühren. Die einen beginnen nun, ihr eigenes Unvermögen zu sehen, und steigen ins Lernen ein. Die anderen fahren frühzeitig nach Hause und schreiben anschließend böse Briefe, in denen sie einen Schuldigen für ihr Versagen suchen.

Ich ließ mich auf ein Experiment ein: Wenn mich manche Menschen insgeheim für ihr Unvermögen verantwortlich machten, dann sollten sie auch eine Chance bekommen, mich direkt anzugreifen. Im Rahmen des Seminars hatten die Teilnehmer abends gemeinsam den Monty-Python-Film *Das Leben des Bryan* gesehen und sich sehr darüber amüsiert. So veranstaltete ich – wie im Film – am Ende des letzten Seminartages eine »Steinigung« unter der alten Eiche auf meinem Hof.

Ich sagte den Teilnehmern, dass nun der Augenblick gekommen sei, um ihrem Ärger und ihren stillen Vorwürfen den Geschehnissen gegenüber richtig Luft zu machen. Jedes schwierige Pferd, jedes missglückte JOIN-UP – ich würde gerne alles auf mich nehmen, sie könnten jeden Frust hier bei mir lassen und dann befreit nach Hause fahren. Als Steine hatten meine Assistenten Marshmallows, die oft als Schweinespeck bezeichneten amerikanischen Süßigkeiten, unter den Seminarteilnehmern verteilt.

Fassungslos und völlig entgeistert starrten sie mich an. »Jeder nur einen Stein!«, hörte ich meine Assistentin schon rufen. Scherzhaft stellten wir die Steinigung nach. Im Film war es eine komische Szene gewesen, über die am Vorabend alle gelacht hatten. Das hier hatte dagegen etwas sehr Skurriles. Meine Assistentin las einen Vorwurf vor, der im Lauf des Seminars erhoben worden war. Wer wolle, könne nun auf mich werfen. Nichts passierte.

Wir gaben Originalzitate aus dem Film zum Besten. Ich ermunterte die Teilnehmer erneut, zu werfen und alle Schuldzuweisungen hier und jetzt loszuwerden, anstatt sie mit nach Hause zu nehmen. Eine interessante Situation. Was geschah? Alle, die einen geheimen Groll gegen mich hegten, die »Betroffenen« also, die ich erreichen wollte, hatten eine absolute Blockade und rührten sich nicht von der Stelle. In sich gekehrt, betrachteten sie das Szenario. Diejenigen, die jedes Ereignis, egal, ob positiv oder negativ, als eine Möglichkeit angesehen hatten, zu lernen und das eigene Ego zu bewältigen, waren in der Lage mitzuspielen. Sowohl die einen als auch die anderen gingen nachdenklich nach Hause. Sie hatten etwas über Pferde gelernt – aber auch über sich selbst.

Von Heinz hörte ich lange nichts mehr. Dann, nach etwa einem halben Jahr, erhielt ich einen Brief von ihm. Der Mann, der mir Monate zuvor so zu denken gegeben hatte, bedankte sich bei mir. In seinem Familienleben, so schrieb er, war alles auf eine Katastrophe zugesteuert. Der Sohn drohte ihm mehr und mehr zu entgleiten, war extrem schlecht in Schule und Ausbildung und bewegte sich in einem negativen Umfeld. Er als Vater hatte völlig den Zugang zu ihm verloren.

Nach langem Nachdenken über die Inhalte des Seminars, die Möglichkeiten der gewaltfreien Kommunikation und das eigene Bild, das er in diesem Rahmen geboten hatte, schlug Heinz einen neuen Weg ein. Er machte Lob und Anerkennung zu den Motoren im Umgang mit dem Sohn und konnte nun auch kleine Erfolgserlebnisse würdigen. »Wir sind auf dem absoluten Wege der Besserung«, schrieb er. »Ich habe so viel verstanden. Ohne die Zeit bei Dir wäre das nicmals möglich gewesen.«

BEATE

Wie wichtig sind Entscheidungen? Wie viel Überwindung kann es kosten, ans Ziel zu kommen? Und wie besiege ich mich selbst? Fragen, deren Antworten mir besonders eine Seminarteilnehmerin näher brachte. Beate absolvierte einen zweiwöchigen Intensivkurs bei mir, und ihre Erscheinung entsprach nicht unbedingt dem, was man als Idealbild einer Frau bezeichnen würde. Sie zeigte sich engagierter und bemühter als die anderen Teilnehmer und beeindruckte alle durch ihre fröhliche Herzlichkeit. Sie wusste, was sie hier wollte: alles mitnehmen, lernen und umsetzen, was möglich war.

Am letzten Tag des Seminars brannte die Sonne vom Himmel, eine unerträgliche Hitze hing in der Luft. Meine Schüler und ich hockten auf dem Zaun eines Paddocks. Lagebesprechung. Heute stand eine Übung auf dem Programm, die wir Herding nennen. Dabei sollte ein frei in dem 80 mal 40 Meter großen Paddock laufendes Pferd allein durch die nonverbale Kommunikation dazu gebracht werden, einen Parcours zu durchlaufen und dabei bestimmte Dinge zu tun, wie über eine Plastikfolie zu gehen, Tonnen zu umrunden oder ein Cavaletti zu überspringen. Wichtig dabei war, dass der Mensch das Pferd weder berührte noch führte und es ihm auch nicht hinterherlief. Der Abstand zum Pferd durfte – schon aus Sicherheitsgründen – fünf Meter nicht unterschreiten.

Beate hatte für diese Aufgabe einen Haflinger bekommen und kam als eine der Letzten an die Reihe. Sie schwitzte enorm. Die Hitze und ihre Körperfülle machten ihr zu schaffen. Sie sollte den Haflinger nun an einer bestimmten Stelle wenden. Körpereinsatz war gefragt, sie musste rennen, wenn sie etwas erreichen wollte. Beate keuchte quer durch den Paddock. Hin und Her. Her und Hin. Viel zu langsam. Sie schaffte es nicht. Es war eine Tortur. Nicht nur sie, sondern auch wir als ihre Zuschauer durchlebten endlose, qualvolle Minuten. Ihre ganze Körpersprache machte deutlich, dass sie selbst von ihrem Erfolg nicht überzeugt war. So – mit diesem überwältigenden Misserfolg in der finalen und wichtigsten Übung – konnte ich sie auf keinen Fall gehen lassen. Das würde sie ihr Leben lang nicht verschmerzen. Aber was sollte ich tun? Ich musste handeln, und zwar jetzt. Sonst wäre es nie wieder gutzumachen.

Aus Leibeskräften brüllte ich gegen den Wind in den Paddock: »Los, setz dich endlich in Bewegung, und hör auf rumzuschleichen – ist doch egal, wie du dabei aussiehst!« Sie stoppte abrupt, schaute mich entgeistert an, ihre Augen traten schier aus den Höhlen hervor. Beate wusste einen Moment lang nicht, was sie tun sollte. Ich dachte: Entweder sie gibt jetzt auf, dann habe ich sie für immer verloren. Oder aber sie reißt sich zusammen, und ich rette ihre Ehre. Diese Prüfung musste sie bestehen, für sich selbst.

Dann sah ich ein Flackern in ihren Augen, ein Funkeln vor Zorn und verletzter Ehre. Und schon raste die schwerfällige junge Frau wie ein geölter Blitz durch den Paddock. Die Welt um sie herum versank, sie schien Raum und Zeit zu vergessen, verströmte Kraft und Entschlossenheit. In irrsinniger Geschwindigkeit manövrierte sie das Pferd, tobte wie ein sich entladender Blitz durch den Paddock. Plötzlich stürzte sie in vollem Lauf, manövrierte ihre Körpermasse in einer Art Handstand-Überschlag wieder ins Gleichgewicht, rappelte sich hoch und rannte weiter. Wir hielten den Atem an. Das Cavaletti – die erste Aufgabe war geschafft. Wir applaudierten. Das Plastik, dann die Tonnen. Wir machten eine Welle, die Stimmung stieg. War Beate vorher nahezu schläfrig gewesen, so zeigte sie sich jetzt vollends positiv motiviert. In Rekordzeit ließ sie das Pferd allein durch nonverbale Kommunikation den Parcours absolvieren.

Dann stand sie da. Ganz ruhig. Ausgiebig lobte sie

das Pferd und kam langsam auf uns zu. Das Pferd wich nicht von ihrer Seite. Sie waren eins. Hier hatte ein Mensch gegen sich selbst gewonnen und im Innersten verstanden: Wenn ich die Dinge in die Hand nehme und wirklich will, gelingt alles. Alles.

Neue Wege

Viele Menschen zeigen mir ihre Bewunderung dafür, dass ich den Mut hatte, diesen ungewöhnlichen Weg einzuschlagen; dass ich in die USA gegangen und zurückgekommen bin, um mich hier für unser Thema einzusetzen. Ich hatte keine andere Wahl.

Ich kann mir nicht aussuchen, worüber ich nachdenke, was mich antreibt. Ich lebe in dem und durch das, was mir widerfährt. Aber ich bin meinem Weg immer freiwillig gefolgt und habe nie etwas aus Angst oder unter Zwang getan. Wenn man Angst hat, fühlt man sich von hinten gehetzt und nach vorn verschlossen. Jede Bewegung wird unmöglich, man verharrt regungslos in seinen Gedanken. Ein Gefühl, das mir fremd ist.

Wenn ich zurückblicke, denke ich manchmal, wie anders alles geworden ist, als ich es mir vorgestellt habe. Dann fällt mir auf, dass ich mir während des eigentlichen Tuns gar nicht überlegt habe, was hätte sein sollen, können, dürfen. Ich habe einfach gelebt, im Hier und Jetzt, in diesem Moment. Mit voller Überzeugung. Dennoch spüre ich mit Bestimmtheit, dass alles völlig anders gekommen ist, als ich es jemals hätte planen können. Und wenn ich noch ein bisschen weiter denke, merke ich, dass ich gar nicht so genau weiß, wie mein Leben nun eigentlich geworden ist. Bin ich doch mittendrin. Und das erfüllt mich mit Glück, heißt es doch, dass ich immer noch im Hier und Jetzt zu Hause bin. Eines weiß ich allerdings sicher: Ich stünde nicht an diesem Punkt, wenn ich damals aus Deutschland nicht weggegangen wäre und auf dem Ledersofa bei Monty Roberts nicht die Chance ergriffen hätte, die er mir bot.

Bevor ich damals in die USA ging, stand es mir glasklar vor Augen: Ich musste diese alte Welt, diesen Kreis von Menschen und Pferden zurücklassen, um weitergehen zu können. Das hieß nicht, dass ich mich auch innerlich von ihnen abwandte. Es bedeutete vielmehr, dass sich mein altes Leben nicht mehr richtig anfühlte. Ich spürte, dass ich eine andere Richtung einschlagen musste, um die Situation für die Pferde verändern zu können.

Monty fragte mich einmal auf Tournee, als wir wie so häufig mit dem Auto durch Niemandsland fuhren, warum ich hier oder dort abgebogen sei. Ich antwortete: »Es hat sich einfach richtig angefühlt.« Diesen Satz zitiert Monty häufig. Es gibt Entscheidungen im Leben, die müssen getroffen werden, weil sie sich richtig anfühlen. Und das ist ein wichtiges Stück von mir. Wenn sich mehrere Wege vor mir auftun und ich mich für einen entscheiden muss, dann überlasse ich das niemals dem Zufall. Ich horche in mich hinein und lasse mich von nichts ablenken. Ich lausche auf mein Herz und tue das, was sich richtig anfühlt.

Als ich im Jahr 1999 an der Seite von Monty Roberts die Welt der Pferde betrat, wusste ich sofort, dass ich ein Teil von ihr sein möchte. Ich wollte diese noch junge Strömung mitgestalten und mithelfen, den Umgang mit Pferden auf der Basis ihrer natürlichen Verhaltensweisen zu etablieren. Mit zunehmender Erfahrung wurde ich immer sicherer, das richtige Ziel zu verfolgen, aber der Weg dorthin glich oft einer Irrfahrt voller Prüfungen.

Monty Roberts hat mich die Analyse sowie das Lösen von Problemen mit Pferden gelehrt und mir die Augen für die Möglichkeiten der gewaltfreien Kommunikation mit diesen wunderbaren Tieren geöffnet. Der Schatz an Wissen, den er mir vermittelt hat, kann auch das menschliche Zusammenleben positiv beeinflussen und Partnerschaft auf jeder Ebene fördern. Auf dem neuen Weg, der vor mir liegt, will ich mich insbesondere dafür einsetzen, dass Probleme in der Kommunikation mit Pferden gar nicht erst entstehen.

Warum dieses Buch?

Was immer wir in unseren Gedanken festhalten, können wir auch leben: unsere Träume vom Einssein mit der Natur, von der Arbeit mit Tieren. Für jeden mag hier etwas anderes stehen. Viele Kinder erzählen mir: »Ich möchte diesen Traum leben, aber ich darf nicht«. Viele Erwachsene kommen und sagen: »Man hat mich nicht gelassen.« Letztendlich liegt es nur an uns selbst, was wir in unserem Leben umsetzen.

Aus dem Grund wurde dieses Buch geschrieben. Und vielleicht ist es kein Zufall, dass Sie es in Händen halten, weil Sie dadurch mit mir von einer bestimmten Art zu leben träumen können. Vielleicht gibt es in meinen kleinen Abenteuern etwas, was Sie wieder finden, was Sie nicht vergessen sollten, was Sie einmal geträumt haben. Es macht mich unglaublich glücklich, diese Geschichten gelebt zu haben und sie weiterzugeben, weil ich damit vielen Menschen den Mut geben möchte, ihre eigenen Träume zu leben.

Anfangs konnte mich niemand begleiten. Die guten Freunde respektierten meine Entscheidung, wünschten mir Glück und ließen mich ziehen. Aber keiner ging mit. Alles kam ihnen ein wenig mysteriös vor. Einige Male habe ich mich in dieser Zeit selbst wie ein Pferd gefühlt. Niemand konnte sehen, was ich sah, und fühlen, was ich fühlte. Ich war ganz allein.

Ich musste lernen, mich selbst ernst zu nehmen und mit kleinen Schritten zufrieden zu sein. Andererseits hoffte ich nicht weniger, als die Welt zu verstehen, die Menschen, die Pferde. Vielleicht würde ich eines Tages weiterführen können, was Monty Roberts angefangen hatte? Doch dieser Gedanke erschien mir damals als viel zu vermessen. Ich wollte jedenfalls weiter hart dafür arbeiten, dass ich meinen Beitrag dazu leisten konnte. Vielleicht war es diese Bescheidenheit, die mir den Weg zu dem geöffnet hat, was heute ist.

Natürlich sind mir später viele Menschen begegnet, die meinen Weg mitgehen, mein Leben mitleben wollten, Menschen, die ich auch in meinem Herzen willkommen geheißen habe. Praktikanten, Befürworter, Schüler, Unterstützer. Aber sie kamen und gingen. Irgendwann stellte ich mich schon im Voraus auf die Enttäuschung ein, die unweigerlich folgte, wenn ich sie zurücklassen musste.

Monty Roberts ging es ähnlich. Mit mir hat er diese Erfahrung jedoch nie gemacht, er hat mich nie abfallen sehen. Monty wusste, dass ich bleiben würde, auch wenn ich heute eigene Wege gehe, die seine volle Unterstützung finden. Als ich einmal geschwankt und gezweifelt habe, sagte er zu mir: »Wenn du jetzt wegläufst, wirst du immer weglaufen.« Monty hat nicht erlaubt, dass ich weglaufe. Er hat mich an die Grenzen des Möglichen und Lernbaren geführt.

Als 2002 das Monty Roberts Learning Center entstand, hatte ich Menschen bitter nötig, die nicht bloß oberflächliches Interesse zeigten, sondern bereit waren, die Idee der Gewaltfreiheit mit mir zu leben und sich hingebungsvoll für sie einzusetzen. Aber niemand ist letztlich geblieben, um zu kämpfen, obwohl es viele versucht haben. Ich empfinde es als großes Glück, jemandem das weiterzugeben, was man kann. Monty Roberts hat sich in mühevoller Kleinarbeit alles selbst angeeignet; seine einzigen Lehrer waren die Pferde. Ich bekam von ihm das fertige Konzept. Er sagte mir, wie erfüllend es für ihn sei, das eigene Wissen einem Schüler vermittelt zu haben, von dem er nun umgekehrt ebenfalls lernen kann!

Nach einer Vorführung auf Gestüt Fährhof fragte ich Monty, warum er die Pferde im JOIN-UP mit einer so schroffen Geste wegschicke. Es mache für das Pferd keinen Unterschied, antwortete er. Meiner Ansicht nach machte es für die Zuschauer sehr wohl einen elementaren Unterschied: Die für das menschliche Auge schroffe Geste legte die – wenn auch falsche – Annahme nahe, dass sie sich aggressiv gegen das Pferd richte, indem sie erschrecke und wegscheuche. Monty änderte seine Geste. Mit einer sanft geöffneten Hand bestätigt er das Pferd, wenn es sich von ihm entfernt. Das JOIN-UP funktioniert unverändert. Er hatte meinen Rat angenommen und bedankte sich bei mir.

Mit dem Satz »Das wirkliche Lernen beginnt, wenn du anfängst zu unterrichten« traf mich Monty vor langer Zeit mitten ins Herz. Seine Worte zielten nicht so sehr auf die Methode und die Arbeit am Pferd, vielmehr betrafen sie einen ganz anderen wichtigen Punkt: das Wachsen am Menschen, für mich eine der schwierigsten Lektionen überhaupt.

Inzwischen habe ich unzählige Seminare abgehalten, in denen mir die Teilnehmer andächtig zuhörten und in denen ich es anscheinend geschafft habe, als Lehrerin zu überzeugen. Das war nicht immer so. Jahrelang haben mich Menschen angegriffen, oftmals auch, weil sie aus der falschen Motivation heraus bei mir lernten. Vielleicht weil sie kleine Monty-Roberts-Ausgaben werden wollten – reich und berühmt. Doch keiner von ihnen hat bedacht, welche Mühe und Kraft, wie viele Tausende von Lehrstunden zu diesem Werdegang gehörten. Es brauchte endlose Gespräche und Diskussionen, durchwachte Nächte, endloses Arbeiten mit Pferden und Vorführungen, um an den Punkt zu kommen, an dem wir heute stehen.

Mit einem Fünf-Tage-Kurs ist es nicht getan. Damit beginnt höchstens die Bereitschaft zum lebenslangen Lernen. Es reicht auch nicht, ein Jahr lang zu lernen. Der Weg führt so viel weiter, er berührt immer neue Ebenen, bis man irgendwann erkennt, dass das Lernen nie aufhört.

Einige Schüler und auch Pferdebesitzer klagten mich an in der Hoffnung, Monty Roberts werde mich fallen lassen. Sie erkannten nicht, wie stark das Band ist, das Monty und mich gedanklich und emotional in unserer Arbeit mit Pferden und darüber hinaus verbindet. Wir wissen, was wir uns gegenseitig gegeben haben und wofür wir kämpfen. Ich hatte auch Seminarteilnehmer, die nach einem Kurs oder Praktikum bei mir vielseitige Beschwerdebriefe an Monty und mich schrieben. Wieder andere wollten mit Katalogen eigener Ratschläge und mit Anwälten auf uns einwirken. Ihre Motivation und ihre Ziele sind mir fremd.

Während ich das erste Monty Roberts Learning Center führte, kristallisierte sich immer mehr heraus, dass es für mich an der Zeit war, wieder einen neuen Weg einzuschlagen. Auch wenn die Arbeit mit einzelnen betroffenen Besitzern und interessierten Pferdeliebhabern wichtig ist und mir neue Möglichkeiten eröffnet hat, so erreiche ich auf diese Weise doch zu wenige Pferde.

Pferdebesitzer, die Probleme mit ihren Tieren haben und nicht selten am Rand der Verzweiflung stehen, wollen und müssen keine Pferdetrainer werden. Sie wollen mit ihrem Pferd zurechtkommen. Sobald es aber nach einem erfolgreichen Training wieder im heimischen Stall steht, fallen sehr viele Besitzer in alte Verhaltensmuster zurück. Ein deprimierendes Ergebnis – und für die Pferdewelt ist wenig gewonnen.

Mein Ziel bleibt unverändert. Es beinhaltet, dass die Peitsche nicht mehr das meistverkaufte Utensil in der Pferdewirtschaft sein darf, dass wir aufhören, Pferde zu schlagen, dass wir die Isolation aufheben und sich der Mensch im Einklang mit sich und den Pferden wieder finden kann. Das Ziel ist klar, der Weg ein anderer. Heute möchte ich die professionellen Pferdeleute erreichen, mit ihnen zusammen das Positive bündeln und die Wissenschaft weiter voranbringen.

Nach wie vor vertreten Reiter aus der Nachkriegsgeneration oder gar der »Generation der Kavalleriezeit« die Meinung, dass es beim Umgang mit Pferden nicht ohne Härten abgeht. So schrieb Fritz Thiedemann: »Es geht nicht nur mit Lob, Zucker und sonstigen Leckerbissen. Man muss eine gesunde Härte bei der Erziehung des Pferdes einsetzen. Ich bin hart und konsequent in der Ausbildung meiner Pferde gewesen, aber nie nachtragend.«[13] Dem kann ich nur entgegenhalten, dass Konsequenz nichts mit Härte zu tun hat. Die positive nonverbale Kommunikation erlaubt es, Ziele zu erreichen und Grenzen zu setzen, ohne dem Pferd Gewalt anzutun.

Zwischen mir und der an herkömmlichen Lehren

orientierten Reiterwelt gab es stets eine Wand, die ich nicht akzeptieren wollte. Mittlerweile – und hier schließt sich für mich der Kreis – versuche ich nicht mehr, diese Wand niederzureißen. Ich will die Tür finden. Ich möchte erreichen, dass wir uns gegenseitig respektieren. Der Anfang ist meines Erachtens gemacht.

Auf dem Weg zur Akademie

Die nicht enden wollende Nachfrage nach einem Studiengang der Pferdekommunikationswissenschaft, der auf modernsten Erkenntnissen und Methoden basiert, ließ mich mehr und mehr über konkrete Bildungsmöglichkeiten für eine neue Generation von Pferdefachleuten nachdenken. Mit der Gründung der »Andrea Kutsch Akademie« (AKA) ist ein wichtiger Schritt in diese Richtung vollzogen.

Die »Andrea Kutsch Akademie« bietet mit der Pferdekommunikationswissenschaft ein weltweit einzigartiges Bildungsprogramm. Das dreijährige praxisorientierte Studium basiert auf modernen, ethologisch und wissenschaftlich korrekten Methoden, die jegliche Form der Gewalt aus dem Szenario verbannen. Es ist mein Bestreben, auf diesem wertvollen Fundament aufzubauen, die in der Praxis seit vielen Jahren erfolgreichen Mechanismen wissenschaftlich zu untermauern und damit einen gewaltfreien und psychologisch korrekten Umgang mit Pferden zu ermöglichen.

Die Akademie versteht sich als eine Institution zur Neu- und Weiterentwicklung fundierter Erkenntnisse der Pferdewissenschaft und wird von Universitäten im In- und Ausland unterstützt. Sie stellt eine Ergänzung zum derzeitigen Bildungsangebot der deutschen Pferdewirtschaft dar. Der Transfer zwischen ethologischen und wissenschaftlichen Erkenntnissen sowie praktischer Anwendung wird durch eine moderne und professionelle Bildungsstruktur gewährleistet. Die theoretischen und praktischen Inhalte finden eine gleiche Gewichtung.

Die jeweiligen Unterrichtsinhalte werden durch ein interdisziplinäres Team qualifizierter Dozenten vermittelt. Bekannte Persönlichkeiten der unterschiedlichsten Fachbereiche sind auf dem Weg innerhalb der Akademie, eine zukunftsträchtige Epoche der Aus- und Weiterbildung für Pferdefachleute einzuläuten.

Die »Andrea Kutsch Akademie« wendet sich an eine junge Generation wissbegieriger Pferdeleute, die bereit sind, an einem sehr intensiven Bildungsprogramm teilzunehmen, das sich an den Anforderungen einer Fachhochschule orientiert. Wir wenden uns an die Menschen, die mit ihrem Engagement und ihrer Persönlichkeit deutlich machen, dass sie bereit sind, sich auf ein intensives und anspruchsvolles Studium einzulassen. Wir stellen ein homogenes Team aus Studenten zusammen, die engagiert das Ziel verfolgen, die Welt für Pferde und Menschen zu verbessern – durch Kompetenz, Wissenschaft und Passion.

Die Gründung der Akademie ist für mich der Beginn einer neuen Ära, in der das Lernen und Lehren auf ein meines Wissens bisher in der Pferdewirtschaft nicht da gewesenes Niveau gehoben wird. Sie gleicht einem Meilenstein auf dem Weg, den ich durch, mit und nach Monty Roberts gehe. Aber um Neues beginnen zu können, musste ich mich von Altem trennen. Ich musste meinen idyllischen Hof aufgeben, mein Zuhause verlassen und mich erneut von einigen Menschen verabschieden, die mich ein Stück des Wegs begleitet haben. Dass das nicht leicht war, ist jedem klar. Unendlich viele Gedanken und auch Unsicherheit begleiten mich bei diesem großen Schritt ins Ungewisse. Doch zwei verlässliche Weggefährten sind geblieben: meine innere Stärke und der feste Glaube an das richtige Ziel.

Seit meiner Jugend ist es das Gedicht »Stufen« von Hermann Hesse,[14] das genau auf den Punkt bringt, worum es mir geht: das Leben so zu leben, dass ich darin fortschreite, Stufe um Stufe, Raum für Raum.

Wie jede Blüte welkt und jede Jugend
Dem Alter weicht, blüht jede Lebensstufe,
Blüht jede Weisheit auch und jede Tugend
Zu ihrer Zeit und darf nicht ewig dauern.
Es muss das Herz bei jedem Lebensrufe
Bereit zum Abschied sein und Neubeginne,
Um sich in Tapferkeit und ohne Trauern
In andre, neue Bindungen zu geben.
Und jedem Anfang wohnt ein Zauber inne,
Der uns beschützt und der uns hilft zu leben.

Wir sollen heiter Raum um Raum durchschreiten,
An keinem wie an einer Heimat hängen,
Der Weltgeist will nicht fesseln uns und engen,
Er will uns Stuf' um Stufe heben, weiten.
Kaum sind wir heimisch einem Lebenskreise
Und traulich eingewohnt, so droht Erschlaffen,
Nur wer bereit zu Aufbruch ist und Reise,
Mag lähmender Gewöhnung sich entraffen.
Es wird vielleicht auch noch die Todesstunde
Uns neuen Räumen jung entgegensenden,
Des Lebens Ruf an uns wird niemals enden...
Wohlan denn, Herz, nimm Abschied und gesunde!

Ich hoffe, dass mir Abschied und Neubeginn immer wieder gelingen. Und ich hoffe, dahin zu kommen, dass Schlagwerkzeuge als Mittel der Gewalt gegenüber Pferden eines Tages ausgedient hat. Ich hoffe, dass wir Harmonie und Frieden finden – die Menschen und die Pferde, aber auch die Menschen untereinander.

Viele Menschen halten mich für unstet oder entwurzelt, aber das ist nicht wahr. Die wichtigen Themen ziehen sich wie ein roter Faden durch mein Leben, allen voran das Thema Pferde. Ich habe mir keine Grenzen gesetzt, alles ist offen. Ich habe gelernt, dass das Lernen nie aufhört, und diese Einsicht in rasantem Tempo gelebt. Es gibt nichts Inkonstantes und nichts Halbherziges bei mir. Wer sich in sich selbst beheimatet fühlt, ist nicht länger gebunden, weder an eine Wohnung noch an einen Ort. Er kann in dem Thema, das er lebt, voranschreiten und sich neue Räume erschließen.

So viel ist klar: Wenn ich etwas abgeschlossen habe oder sehe, dass ich nicht weiterkomme, ändere ich den Kurs. Es gibt für mich kein starres Festhalten an einmal getroffenen Entscheidungen, keine unverbrüchlichen Dogmen. Mit der Entscheidung für die Akademie habe ich ein erfolgreiches Unternehmen – das von mir etablierte Monty Roberts Learning Center – und damit eine gesicherte Existenz aufgegeben. Dieser Schritt war notwendig. Alles andere hätte bedeutet, sich unablässig zu wiederholen.

Es geht bei der Idee der Akademie darum, die nächste Stufe zu erklimmen. Auf dem Weg dorthin habe ich Begleiter gefunden, die an die Sache und an mich glauben und mich von Herzen unterstützen. Ich bin des ständigen Weitergehens nicht müde geworden, sondern stehe hellwach und mit leidenschaftlichem Einsatz hinter diesem neuen und richtungweisenden Konzept der »Andrea Kutsch Akademie«. Es ist nur ein Hinüberwechseln in einen neuen Raum, und daraus wird sich wiederum viel Neues ergeben. Das ist mein Leben, das bin ich.

Danksagung

Da meine Geschichte hier und heute noch nicht abschließend erzählt werden kann, soll mein ausdrücklicher Dank an diejenigen, die die nächste Etappe möglich machen, am Ende dieses Buches stehen:

Monty Roberts
Brigitte von Rechenberg
Ulli und Hans-Peter Haselsteiner

Ihr seid nicht nur Wegbegleiter, sondern längst Familie für mich geworden!

Andrea Kutsch
Bad Saarow, im Mai 2006

Anmerkungen

1 Vgl. Robert M. Müller, *Prägungstraining*, Wipperfürth: Kierdorf Verlag 1995.

2 *Richtlinien für Reiten und Fahren*, hrsg. v. d. Deutschen Reiterlichen Vereinigung, Bd. 2: *Ausbildung für Fortgeschrittene*, 12. Aufl., Warendorf: Verlag der Deutschen Reiterlichen Vereinigung 1997, S. 26.

3 F. O. Ödberg/M. F. Bouissou, »The development of equestrianism from the baroque period to the present day and its consequences for the welfare of horses«. In: *Equine Veterinary Journal, Supplement*, April 1999, Nr. 28, S. 26–30.

4 Vgl. L. B. Jeffscott/P. D. Rossdale/J. Freestone et al., »An assessment of wastage in the thoroughbred racing from conception to four years of age«. In: *Equine Veterinary Journal*, Juli 1982, Bd. 14, Nr. 3, S. 185–198. Und C. J. Bailey, *Wastage in the Australian thoroughbred racing industry*, Barton, ACT.: Rural Industries Research and Development Corporation 1998.

5 E. L. Haag/R. Rudman/K. A. Houpt, »Avoidance, maze learning and social dominance in ponies«. In: *Journal of Animal Science* 1980, Bd. 50, Nr. 2, S. 329–335.

6 Samy Molcho, *Körpersprache*, München 1996, S. 18.

7 Vgl. ebd., S. 90.

8 Stephen Budiansky, *Wenn ein Löwe sprechen könnte*, Reinbek b. Hamburg 2003, S. 51. Nur über das Internet erhältlich: http://manisch-depressiv.de.

9 Nur über das Internet erhältlich: http://manisch-depressiv.de.

10 »Von der Seele«. Aus: Hermann Hesse, *Gesammelte Werke 10*, Frankfurt am Main: Suhrkamp 1970, S. 33 f.

11 Clemens Laar, *Meines Vaters Pferde*, Gütersloh: Bertelsmann 1962, S. 193.

12 Die Geschichte von Lomitas wird in Monty Roberts' Büchern *Der mit den Pferden spricht* (Bergisch Gladbach 1997) und *Pferde meines Lebens* (Bergisch Gladbach 2004) erzählt.

13 Zitiert nach: *Der Spiegel*, 12/2006, S. 164.

14 Hermann Hesse, *Gesammelte Werke 1*, Frankfurt am Main: Suhrkamp Verlag 1970, S. 119.

Glossar

Alphastute: siehe Leitstute.

Barren: Das Fallen einer Stange durch die Berührung der Pferdehufe oder -beine im Springparcours führt zu Strafpunkten. Eine häufig angewandte Technik, um Pferde dazu zu bringen, »sauberer« über den Sprung zu springen, ist das Schlagen von Stangen zwischen die Pferdebeine, sobald sich das Pferd über dem Sprung befindet. Man versucht über den Schmerzfaktor eine höhere Sensibilität und »Achtsamkeit« zu erreichen.

Cavaletti (Bodenrick): Zirka drei Meter lange Stangen, die an den Enden in sägebockähnlichen Kreuzen befestigt sind. Durch Drehen der Kreuze lassen sich verschiedene Höhen erreichen.

Chaps: Lederne Überhosen ohne Hosenteil, die unter anderem von Cowboys getragen werden.

Driving Position: Eine Stellung, in die man sich im 45-Grad-Winkel vom Kopf des Pferdes nach hinten bewegt, um das Pferd von sich weg zu bewegen.

Dually-Halfter: Ein von Monty Roberts konzipiertes Trainingshalfter, das Druck auf das Nasenbein ausübt, ohne dabei Schmerzen zu verursachen.

Equitana: Die weltgrößte Pferdemesse, die alle zwei Jahre in Essen stattfindet.

Herding: Das Treiben von Pferden im Herdenverband.

Leitstute (Alphastute): Ein weibliches Pferd mit den psychologischen Eigenschaften, die sie zur Führung der Familiengruppe befähigen. Die Fähigkeiten scheinen angeboren zu sein und bleiben ein Leben lang bestehen.

Paddock: Auslauffläche für Pferde, die meist über einen Sandbodenbelag verfügt.

Schweifrübe: Die Schweifrübe besteht aus 18 bis 21 Wirbeln, die das Ende des Rückgrats bilden.

Shaping: Im Rahmen des operanten Konditionierens wird das Verhalten durch selektive Verstärkung derjenigen Reaktionen geformt, die dem erwünschten Verhalten schrittweise näher kommen.

Time-Feel-and-Balance = Leistung: Timing, Gefühl und Balance sind die drei Faktoren, die ein Pferd zu Leistung bringen können. Sind alle drei gleich gewichtet, entsteht eine harmonische Partnerschaft zwischen Pferd und Mensch.

Umweiden: Wechsel von der Sommer- zur Winterweide.

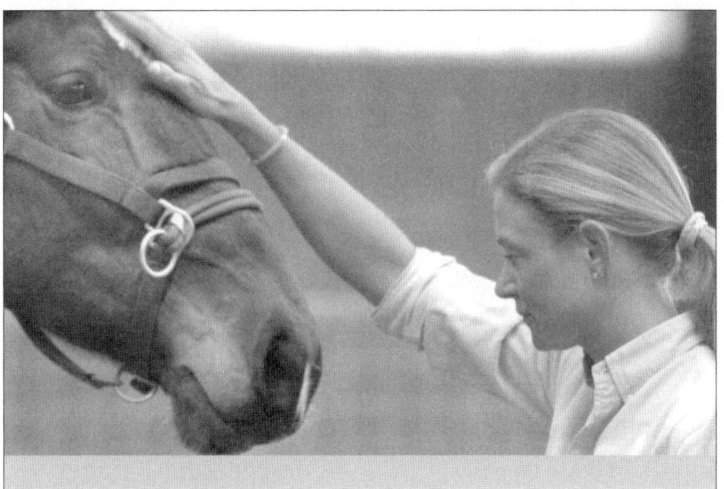

*»Der 70 Jahre alte Kalifornier hat den
Umgang mit Pferden revolutioniert!«*
SÜDDEUTSCHE ZEITUNG

Monty Roberts
DER MIT DEN PFERDEN
SPRICHT
Aus dem Englischen von
Till R. Lohmeyer,
Ulrike Maier, Christel Rost
Sachbuch
384 Seiten
mit je 16 Seiten Bildteil
4-farbig und s/w
ISBN 978-3-404-60466-1

Dies ist die faszinierende Lebensgeschichte des Mannes, der die Sprache der Pferde beherrscht und mit seinem Körper ausdrückt. Monty Roberts ist der wahre »horse whisperer«, der echte Pferdeflüsterer. Seit frühester Jugend arbeitet er mit Pferden. Seine dabei entwickelte Trainingsmethode ist revolutionierend: Sie ist ein ständiger Dialog, ein geduldiges, respektvolles Eingehen auf den Partner Pferd.

Der Erfolg bestätigt Monty Roberts. Seine Arbeitweise kennt keine Verlierer und ist der überzeugende Beweis, dass zwischen Mensch und Natur ein gewaltfreier, friedlicher Dialog möglich ist.

Bastei Lübbe Taschenbuch

Die Sprache der Pferde –
zum ersten Mal von Monty Roberts
kompakt dargestellt!

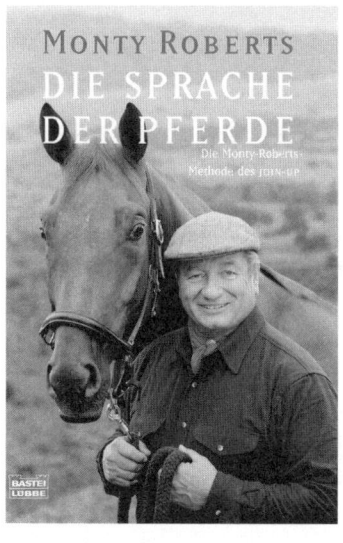

Monty Roberts
DIE SPRACHE DER PFERDE
Die Monty-Roberts-Methode
des JOIN-UP
Aus dem Engl. v. Sigrid Eicher
Sachbuch
352 Seiten mit 71 Farb- und
50 s/w-Abbildungen
ISBN 978-3-404-60550-7

Die Monty-Roberts-Methode des JOIN-UP hat sich in den vergangenen Jahren weltweit bewährt. In seinem neuen Trainings-
handbuch beschreibt und erläutert der »wahre Pferdeflüsterer«
die einzelnen Schritte der Kommunikation zwischen Mensch
und Pferd. Dieses Buch ist die Quintessenz aus sechs Jahrzehnten Arbeit mit Pferden, es ist das Hauptwerk des Monty
Roberts – ein MUSS für alle Reiter und Pferdeliebhaber!
　　»Der respektvolle Umgang mit der Kreatur lehrt den Menschen einen friedlicheren Umgang mit seinesgleichen. Denn nur
so lässt sich eine humanere Zukunft verwirklichen.«

Monty Roberts

Bastei Lübbe Taschenbuch

Das ganze Pferdewissen des Monty Roberts in einem Band

Monty Roberts
PFERDE MEINES LEBENS
Erinnerungen des bekanntesten
Pferdeflüsterers der Welt
Aus dem Englischen von
Cornelia Panzacchi
Biografie
368 Seiten
mit 24 Seiten Bildteil 4-farbig
ISBN 978-3-404-61589-6

Monty Roberts hat jahrzehntelang mit Pferden gearbeitet und seine JOIN-UP-Methode entwickelt. In diesem sehr persönlich gehaltenen Buch erinnert er sich an die charaktervollsten unter ihnen: Fiddle D'Or, Johnny Tivio, Dually, Lomitas, Silvano und natürlich Shy Boy, seinen berühmten Mustang. Verständnis, Einfühlung und Respekt im Umgang mit der Kreatur sind Roberts' Credo. Hier erzählt er nun, wie er die außergewöhnliche Kommunikationsfähigkeit der Pferde kennen gelernt und systematisch damit zu arbeiten begonnen hat. Ein MUSS für alle Pferdefreunde und Anhänger der Monty-Roberts-Methode des JOIN-UP.

Bastei Lübbe Taschenbuch